별은 하늘의 것이 아니다[개정판]

별은 하늘의 것이 아니다[개정판]

발 행 | 2024년 1월 5일
저 자 | 이진무
펴낸이 | 한건희
펴낸곳 | 주식회사 부크크
출판사등록 | 2014.07.15.(제2014-16호)
주 소 | 서울특별시 금천구 가산디지털1로 119 SK트윈타워 A동
305호
전 화 | 1670-8316
이메일 | info@bookk.co.kr

ISBN | 979-11-410-6494-5

www.bookk.co.kr

별은
하늘의 것이
아니다

[개정판]

이진무 시집

차　례

수많은 나뭇잎이 떨어져
단 하나의 뿌리를 살찌우게 하듯이
수많은 인생의 영광을
단 하나의 양심을 위해 썩히리라.

그물에 걸린 새

구름이 잔뜩 낀 하늘 어둑어둑하지만
가끔 시원한 바람이 분다.

나는 습지에 날아와 먹이를 먹는
철새들을 보고 있다.

마치 높은 빌딩에서
사람들을 구경하는 기분이다.

고고한 척하지만
어울리지 못하고 혼자 떨어져
궁상을 떨고 있다.

새들은 제멋대로 움직이는 것 같지만
일사분란하게
한꺼번에 날고 한꺼번에 내려앉는다.

그중 한 마리가

날지 못하고 멀뚱히 서 있다.

자세히 보니

다리가 그물에 걸려있다.

간간이 힘을 모아 날개를 퍼덕이지만

그물은 다리를 물고 놓아주지 않는다.

몇 번 몸부림치다가 포기했는지 울지도 않는다.

수천 마리의 철새가 날아오르는데도

혼자 습지에 붙어 버둥거린다.

얼마나 고독하고 얼마나 아플까!

떠나는 동료들을 바라보다가

쓸쓸하게 죽어갈 것이다.

일상에 갇혀 허우적거리는
나도 그와 다르지 않다.
무언가 나의 다리를 잡고 놓아주지 않는다.

나 또한 날지 못하기에
시멘트 바닥에 붙어 조용히 썩어갈 것이다.

외로움에 파묻혀
점점 스스로 침식할 것이다.

이별하는 법

단풍잎이 빨갛게 타오르더니
나무와 이별하고 강물을 따라 흘러갑니다.

태양은 지평선 너머 붉은 노을을 펼치더니
연극배우처럼 검은 장막 뒤로 사라집니다.

밤새 반짝이던 별은
해가 뜨자 빛의 뒤로 숨어 버립니다.

그녀는 태양도 아니고 별도 아닌데
자꾸 숨으려고 합니다.

그녀는 곧 이별해야 한다고 말합니다.
그러나 어떻게 이별해야 할지 모르겠다고 합니다.

그녀가 누워있는 병상 밖으로
나뭇잎이 떨어지고 노을이 집니다.

누군가 이별에 대해
감동적인 말을 던져주지만
나는 알아듣지 못하겠습니다.

시간을 멈추고 싶습니다.
해가 뜨고 별이 사라지듯
그녀와 이별해야 한다면
나는 하늘에 못 박혀 영원히 별이 되겠습니다.

가을이 되어 단풍잎이 떨어지듯
그녀와 이별해야 한다면
나는 나무가 되어
나뭇잎을 놓아주지 않을 겁니다.

어둠이 덮이고
별이 하나둘 하늘에 맺힐 때까지
그녀 앞에서 서성입니다.

이제 이슬방울 하나가 나뭇잎과
작별 인사를 하고
땅으로 떨어집니다.

그러나 나는 여전히
이별하는 법을 모르겠습니다.

아픔은 흘러가지 않는다

그녀는 하얀 옷을 입고 병상에 누워있다.
나는 떨리는 두 손을 뒤로 감추고
표정 없이 바라보았다.

그녀는 웃으며 밥은 먹었는지
아픈 곳은 없는지 물었다.

나는 목석인 듯 외면하고
먼 산을 응시했다.
그러나 가슴은 천천히 무너져 내렸다.

나는 울음을 참으며 차가운 얼굴로
이제 당신은 죽을 것이라고 말해주었다.
그녀는 아무 말도 하지 않고 태연히 웃었다.
창밖의 비는 멈출 줄을 모르고.
그녀 주위로 양귀비꽃이 지천으로 깔렸다.

무심한 잘못과 방황, 괴로움은
눈물에 다 씻겨갈 줄 알았다.
그러나 아픔은 흘러가지 않는다.
저수지로 흐르는 물처럼
마음에 차곡차곡 쌓여갈 뿐.

그녀는 나를 사랑했을 것이다. 그러나
나는 모른 척했고 때로는 모진 말을 던졌다.
그녀의 얼굴은 평온했기에
그래도 괜찮다고 생각했다.

아픈 가슴을 움켜쥐고 간절하게 응시해도
나는 사랑한다는 말 한마디도 하지 않았다.

나의 칼날 같은 눈초리는
가슴을 후벼 파서
아픔의 저수지를 만들었겠지.

그러나 그녀는 여전히 웃기만 했다.
그녀는 마음이 넓은 천사이므로
다 괜찮은 줄 알았다.

아픔은 시간을 따라 강으로 바다로
쉽게 흘러가는 줄 알았다.

아버지

달이 어둠을 들추고 어슴푸레 웃고 있다.
도둑처럼 몰래 들여다보는 모습이
영락없는 아버지다.
멀리 여명이 밝아오자
빠르게 태양에게 자리를 내어준다.
아버지도 태양인 적이 있었을 것이다.
그러나 이제 공중으로 흩어지는
화장터 연기일 뿐이다.

남아있는 사람들은
먹구름으로 뒤덮인 도로를 달린다.
밤이 내려온 듯 구름은 까맣고 낮아 그 속으로
돌진하는 느낌이다.

저 구름은 무슨 짐이 그리 많아서
날지 못하고 자꾸 주저앉을까?
화장터 연기는 하나로 모여 까만 구름에
짐을 더한다.

푸르렀던 나무들은
어느새 눈부신 단풍 빛깔을 쏘아낸다.
그러나 얼마 지나지 않아
앙상한 뼈다귀를 드러낼 것이다.
나의 팔다리가 바짝 말라가는 것을 보니
나도 단풍 옷을 입었나 보다.

아버지의 아버지, 또 아버지의 아버지
그렇게 쌓인 무거움은 내 가슴에 짐이 되겠지.
아버지로서 바라는 바는 아닐 테지만
나 또한 내 아들의 짐이 될 것이다.

당신을 사랑합니다

오늘은 당신이 떠나는 날입니다.
나는 우산을 들고 서 있습니다.
비가 오기 때문입니다.

당신의 마음을 받아들이는 날
당신의 무너짐도 함께 받아들였습니다.
그러므로 미안해하지 않아도 됩니다.
당신이 나를 곁눈질하며 망설인다면
내 마음에 고인 눈물은
망각의 바다로 흐르지 못합니다.

사랑이란 보이는 것과 보이지 않는 것의
만남이란 생각이 듭니다.

당신이 나뭇잎처럼 까르르 웃을 때
나를 생각하는 당신의 마음이 보입니다.
슬픔과 안타까움, 쉬운 단념과 나태함도 보입니다.

그러나 그것이 당신의 전부라고 생각하지
않겠습니다.
내가 보지 못한 것도 있을 겁니다.

나이가 들어 몸은 자라지 않더라도
마음은 성장하고 있습니다.
언젠가는 진심을 다해 말하겠습니다.

당신을 사랑합니다.

경리단길

거리가 있었습니다.
햇살처럼 웃음이 굴러다니고
연인 같은 건물들이 줄지어 있었습니다.

그녀는 그곳을 좋아했습니다.
마음을 열고 입술을 허락하면서
좁지만 넉넉한 거리라고 말했습니다.

비가 오면 비를 맞으며 눈이 오면 눈을 맞으며
걷고 또 걸어도 걸음은 항상 그곳으로 향했습니다.

그러나 지금은 모두 사라지고 거리는
마음에만 남았습니다.

그녀는 마지막 가게 문을 닫듯이
마음을 닫고 헤어지자고 말했습니다.

이제 쾽한 바람만 돌아다니는 쓸쓸한 거리입니다.
곳곳에 남아있는 추억을 쓰다듬으며
아쉬움에 탄식할 뿐입니다.

낙오된 기러기처럼 계단에 앉아 언덕 너머
해 지는 하늘을 바라봅니다.

공중제비

한 바퀴 하늘이 돌아간다.
발은 허공을 딛고 세상은 뒤집힌다.
그러나 아무도 보아주지 않는다.
손바닥 허물이 다 벗겨질 때까지 빙빙 돌아도
동전 하나 던져주는 사람 없다.

두 발은 뿌리 없이 공중을 걷고 있다.
허공, 허상, 허무한 곳을 걸으며
뒤집힌 세상에 대하여 불평을 하지만
사람들은 땅바닥에 시선을 고정한 채
침묵할 뿐이다.

나는 그들 앞에서 공중제비를 한다.
돌고 또 돌아 하늘이 땅이 되고
땅이 하늘이 되고
세상이 뒤집힐 때까지.

아침부터 저녁까지, 계절을 가리지 않고
취한 채 공중제비를 한다.

땅이 돈다. 하늘이 돈다.
친구, 가족의 얼굴, 내 인생이 뱅뱅 돈다.
얼마나 더 돌아야 멈출 수 있을까!

어지러워 견딜 수 없다.
나는 세상 위에
누런 토사물을 쏟았다.

객석에서

밝은 조명 아래
어깨를 축 늘어뜨린 자가 걷고 있다.
붉은 가면을 쓴 기사가 다가가
뾰족한 칼로 그의 목을 죽 긋는다.
빨간 피가 무대를 적시고
그는 쓰러지지 않으려고 버둥거린다.

나의 이름은 '정의'
그를 구해야 한다. 그러나
나는 겁에 질려 입을 틀어막고 있다.
쓰러진 자는 밝은 곳에 있는 사람이다,
나는 어두운 객석에 있다. 들켜서는 안 된다.
어둠은 나의 안식처
고독과 적막이 나의 친구다.
그곳에서는 밝은 곳이 잘 보인다.
그러므로 나는 세상의 현자이다.

붉은 가면을 쓴 기사가 외쳤다.

이제 정의는 사라졌다!

몇몇 사람들이 손을 모아 붉은 가면을 칭송했다.

나는 그들을 지켜본다.

그들은 나를 모르겠지.

그들은 세상에 관해 이야기했다.

때로는 잘못된 법과 제도에 관해 이야기했다.

나는 얼굴을 가리고 웃는다.

바보들. 그저 입만 나불거리는구나.

연극이 끝난 후 그들은 어둠 속으로 사라졌다.

사람들은 영웅을 떠나보내듯

그들의 이름을 부르며 손뼉을 쳤다.

나는 여전히 어두운 곳에 있다.
그들의 잘못된 생각을 말해주고 싶었으나
밝음이 두렵다. 속속들이 까발려지는 것이 두렵다.

그래서 나는 어둠에 있어야 한다.
아무 말도 하지 않고 관찰하고 듣고 즐길 뿐이다.

누군가 나를 비웃었다.
그는 어둠 속에 있기에 나는 그를 보지 못했다.
그를 보기 위해서는 더 어두운 곳으로 가야 한다.

그렇다면 어둠 속의 어둠에
누군가가 있는 것이다.
나는 어둠 속에 있다고 생각했지만
가장 밝은 곳에 있는 것이 아닐까?

장터에서 들은 말

붐비던 장터 골목
사람들은 더 이상 오지 않는다.
월세를 내야하는데 걱정이 태산이다.
막노동이라도 해야 하는가!

돼지기름 둥둥 떠다니는 솥에서
근심을 가득 담아 국을 퍼먹던 중
돈을 꿔간 00 씨가
로또를 맞았다는 소리를 들었다.
깜짝 놀라 두리번거리는데
누가 그런 말을 했는지 알 길이 없다.

건어물을 파는 A 씨는
파리채를 든 채 꾸벅 졸고 있고
국밥집 할머니는 돌을 걷어 찾는지
다리를 절며 욕을 하고 있다.

몇몇 시장 사람들은 함께 모여
걱정과 절망으로 검게 퇴색한 얼굴을 하고
국을 먹고 있었지만
아무 소리도 듣지 못했다고 한다.

갑자기 안개가 낀 듯 머리가 먹먹하다.
아직 잠에서 덜 깼는가!
그러나 분명히
00 씨가 로또를 맞았다는 소리를 들었다.

나는 참지 못하고 부리나케
00 씨의 반찬 가게로 달려갔지만
가게는 셔터를 굳게 내린 채
휴업중이라는 종이 팻말을 들고 있을 뿐이다.

나는 00 씨의 가게 앞에서
로또를 맞았는지 따질 요량으로
온종일 인상을 쓰고 서 있었다.

피리 부는 사나이

광화문에서
검은 정장을 입은 사내가 피리를 분다.
새와 개, 고양이가 모여들고
물기가 빠져 바삭거리는 이파리가
바람을 타고 춤을 춘다.

사내는 구름 같이 웃으며
입술이 찢어지도록 피리를 분다.
세상 만물은
그의 피리 소리에 팔다리를 흔들며
빗물처럼 눈물을 쏟고 화초처럼 웃기도 한다.

사내는 소리친다.
나에게 돈을 주면
이 세상의 모든 쥐를 쓸어버리겠노라고.
지나던 버스가 경적 소리로 화답한다.

사내는 검은 옷을 벗고
흰 와이셔츠 차림으로
대로를 따라 시청 앞까지
흥에 겨워 덩실덩실 춤추며
피리를 분다.

사람들이 깃발을 휘두르며 따라온다.
함성은 천지를 꿰뚫을 듯하다.
그러나 눈은 짐승처럼 빨갛고
입가에는 오물이 흐른다.
그들은 쥐떼이다.

사내는 그들을 지하도로 몰고 간다.
지하철보다 더 깊이
아래로, 아래로

쥐들아!

그 아래 무엇이 있는지는 알 필요가 없다.

그대들에게

목적지는 아무 의미가 없다.

친구

해가 지고 찬 바람이 쌩쌩 부는 겨울
핏기 하나 없는 창백한 얼굴로
오랜 친구가 찾아왔다.
원래 흰 얼굴은 아니었는데
만지면 피부가 와르르 벗겨나갈 듯하여
많이 변했구나, 물었더니
세상이 변했다고 껍데기가 변했다고
그러나 마음은 변하지 않았다고 한다.

어두운 밤 별 사이로 지나는
매운바람이 살을 도려낼 듯 차가워
방으로 들어가자 하였더니
그저 하늘이 별이 어둠이 좋다고 한다.
그래서 마당 소나무 밑에
큰 상 펼쳐놓고 찬 소주를 따라주었다.

한잔 두잔 들이킬 때마다 얼굴은 환하게 펴지고
오랜 시간의 추억은 녹아 술잔에 스며든다.
멀리 떠나간 친구들의 이름을 부르며
이미 죽어서 다행이야.
너무 힘들어, 라고 말하지만
나는 동의하지 않는다.
그저 친구를 마주하여
차갑고 맑은 소주를 들이켜면 이렇게 좋은데
무엇을 고뇌하는가?

벌써 여명이 피어오른다.
어둠은 또 현실처럼 어디론가 숨어들겠지.
소나무 끝에 얹혀있던 눈송이 하나가
미끄러지듯 내려와 친구의 소주잔으로 몸을 던진다.
너도 한잔하려는 것이냐? 술이 되려는 것이냐?
친구는 웃으며 소주를 단숨에 마셔 버린다.

별은 하늘의 것이 아니다

야산의 나무와 풀이 스산한 실루엣을 드러내며
오는 듯 마는 듯
청아한 바람 소리는 멀지도 가깝지도 않으니
꿈속에 있는 것 같다.

별빛은 살며시 기억을 들추고
나는 책 읽는 아이처럼 호롱불 앞에 앉아
추억을 더듬는다.

어머니가 수수깡 같은 손가락으로 짚어주던
내 고향 나의 별
참을 수 없는 그리움에
마당에 나와 하늘을 보지만
별을 찾는 시선은
눈물에 덮여 뿌옇게 흐려진다.

별아, 내게로 오렴.

어머니를 부르듯 간절히 호명하자

별은 반짝이며 쏟아질 듯 아우성친다.

땅으로 내려와 안기지 못하고

하늘에 붙들려 몸부림친다.

하늘아 이제 별을 놓아주렴.

별은 하늘에 있지만

하늘의 것이 아니다.

꿈꾸듯 그리워하며

새벽을 맞이하는 사람들의 것이다.

양면성

난류와 한류가 만나는 곳에 고기가 많아.
고난과 안락이 겹치는 곳에 행복이 있지.

행복한 사람은 불행을 받아들이지 않고.
불행한 사람은 행복을 믿지 않아.

위기는 기회기도 하고, 기회는 위기기도 해.
상반된 것이 함께 인생을 만들지.

그것을 받아들이지 않는다면
혼란의 불 속에서 헤어나지 못할 거야.
하지만 부정하지 않고 기꺼이 받아들인다면
적어도 고통은 없어.

너의 삶과 다른 생이 들어올 때
머리는 깨질 것 같고 심장은 기차 바퀴처럼
덜컥거리겠지.

그러나 새삼스러운 일은 아니야.
기억하지 못하겠지만 그런 일은 늘 있었어.

슬픔은 반드시 슬픔으로 끝나지 않아.
슬픔은 기쁨과 연결되어 있으므로
행복으로 끝나기도 해.

그것은 사랑과도 관계가 있어.
사랑 뒤에는 항상 슬픔이 따라다니지.
그것에 익숙해져야 사랑을 할 수가 있어.

우유병 속의 병아리

옛날에 병아리 한 마리가 있었어.

알을 깨고 나왔을 때 따뜻하게 품어주던 어미 닭은 어디론가 사라지고, 머리 위에선 찬 바람이 쌩쌩 불었지.

얼마나 추운지 발바닥이 땅에 들러붙을 지경이었어.

주변에 먹을 것도 하나 없었어.

너무 춥고 배고파서 금방 숨이 넘어갈 것 같았어.

그때 어디선가 향긋한 향기가 은은하게 풍겨 나왔어.

병아리는 향기가 나는 방향으로 걸어갔지.

그곳에는 우유가 반쯤 남아있는 큼지막한 우유병이 있었어.

병아리는 잘 떨어지지 않는 발을 움직여 죽을힘을 다해 맑고 하얀 우유 속으로 풍덩 뛰어들었지.

우유병 속은 완전히 별천지였어.

먹을 것도 많았고 두꺼운 유리벽은 사나운 바람을 거뜬히 막아주었지.

병아리는 행복에 겨워 '삐악삐악!' 소리를 질렀어.

며칠 후 다른 병아리가 나타났어.

그는 우유병 안을 한참 동안 들여다보더니 병 안의 병아리에게 애원했어.

"나 좀 들여보내면 안 되겠니? 너무 춥고 배고파."

병 안의 병아리는 우유병 입구를 막고 얘기했어.

"보다시피 너무 좁아. 먹을 것도 많지 않고. 미안하게 됐어."

바깥의 병아리는 울면서 다른 곳으로 갔어.

겨울이 지나고 봄이 되자 날씨는 한결 따뜻해졌어.

병아리는 우유병이 조금 덥고 비좁단 것을 느꼈어.

하지만 밖은 여전히 춥고 먹을 것이 없는 곳이라 생각했지.

며칠 더 지나자 여기저기서 파릇파릇한 새싹이 나기 시작했어. 아지랑이가 눈앞에 아른거리기도 했고.

병아리는 크게 하품했어. 잔디 위에서 어린 닭들이 뒤

뚱뚱뒤뚱 걷고 있었거든.

그때 예전에 우유병 안으로 들여보내 달라고 애원하던
병아리가 보였어.

그는 몸이 많이 커졌고, 머리에는 조그만 벼슬이 자라
나고 있었어. 곧 듬직한 수탉이 될 것 같았지.

하지만 병아리는 여전히 고개를 설레설레 흔들었어.

"바보들. 추운데 뭐 하는 거지? 여기는 먹을 것도 많
고 따뜻해. 이곳이 세상에서 제일 좋은 곳이야."

병아리는 아직 병 밖으로 나갈 생각이 없었던 거야.

얼마간의 시간이 더 흘렀어.

나무들은 초록으로 물들고 이곳저곳에서 새소리가 들
렸지. 가끔 비가 왔고 가만히 있는데도 땀이 줄줄 흘
러내릴 만큼 더워졌어.

병아리는 이제 나가야겠다고 생각했어.

그런데 몸이 병에 꽉 끼어 나갈 수가 없었어. 몸이 너

무 커진 거야.

버둥거리며 병 입구로 몸을 밀어 보았지만, 꼼짝할 수 없었어. 한참 동안 힘을 쓰던 병아리는 지쳐서 헉헉거리며 눈물을 흘렸어.

잠시 후 어디선가 늠름하고 멋진 수탉이 나타나 우유병 위로 올라왔어.

수탉은 하늘을 향해 크고 길게 홰를 치더니 높이 뛰었어.

우유병은 수탉의 발에 차여 때굴때굴 굴렀지.

병아리도 우유병과 함께 때굴때굴 굴렀어.

그녀는 수의를 짜고 있다

다리에 힘이 없다.
밤새 뒤척이다가 일어났는데
몸이 한쪽으로 기울어
똑바로 서기도 쉽지 않았다.
한 걸음 내딛자 돌림판에 서 있는 것처럼
정신이 팽팽 돌았다.
기억이 가물가물해지며 쓰러졌다.

이놈의 영감탱이!
송곳 같은 고함에 놀라
깨어나 보니
나의 목에 붕대가 칭칭 감겨있었다.

혈관에 꽂힌 링거 주사 바늘을 타고
수액이 눈물처럼 흘러들고
나는 그녀의 이름을 불렀다.

그러나 그녀는 대답이 없고
바람이 대신 웃으며
그녀가 수의를 짜고 있다고 말했다.

작약처럼 빨간 소름이 돋고
나는 아무 말도 할 수 없었다.
이제 시간이 된 것이다.

누군가 창문을 닫아주렴.
바람이 너무 싫다.
그러나 바람은 창밖에 있지 않다.

한때 나는 축복받은 사람이었다.
매일매일 식탁에 만찬을 펼쳐놓고
먹고 마시고 즐겼지.

아, 나의 여신 그녀는 나의 삶을 풍요롭게 해주었지.

포도주에 취해 빨갛게 물든 입술로

열병 같은 나의 젊음을 빨아들이는구나.

남은 것은 공허, 허무, 외로움, 질병뿐.

비로소 알겠다. 그녀의 이름이 절망이었음을.

지금 나의 목에는 붕대가 감겨있다.

겨울을 준비하는 나무처럼.

텅 빈 머리는 바람에 부딪혀 '엉엉!' 울음소리가 난다.

벌레들은 붕대 속으로 기어들어 알을 낳는다.

알은 벌레가 되고 벌레는 또 알을 낳고

나는 벌레가 된다.

나는 피폐해진다.

청소부는 빗자루를 들고
떨어진 영혼 조각을 쓸어 담는다.
바람은 빗자루 자국 따라 걸으며
가만히 속삭인다.

"쉿! 그녀는 수의를 짜고 있어."

말라깽이

오늘은
어제 먹은 밥보다
더 많은 똥을 쌌다.

내일은
더 이상 쌀 똥이
없을지도 모르겠다.

날마다 날마다

날마다 세수하고 이를 닦았다.
날마다 목욕하고 화장을 했다.
날마다 그 사람의 도시락에 예쁜 꽃을 올려놓고
배시시 웃었다.
해가 뜨고 해가 지는 것처럼
봄에 꽃이 피고 가을에 나뭇잎이 떨어지는 것처럼
날마다 꿈을 꾸고 노래했다.

지구가 멈추기 전까지는
날마다 계속할 줄 알았다.
그러나 그가 떠난 후
모든 것이 멈췄다.

머리카락에 서캐가 슬고
얼굴에 검버섯이 피어도
목욕도 화장도 하지 않았다.
시간은 정지하고 나는 멈췄다.

날마다 날마다
서럽게 울다가 혼자 늙어
이름 모를 산비탈에
바위가 되었다.

영웅의 죽음

기타 씨가 죽었다고 한다.
장례식장에 가볼까도 생각했지만
부고장 아래
손을 내미는 계좌번호로 ˋ
오만 원을 보내고 말았다.

몇몇 친구들은 왜 오지 않았느냐고
아우성을 친다.
하지만 나는 영웅이라고 불리는 그를 알지 못한다.
내가 아는 그는 냄새나는 골방에서
감자탕에 소주를 들이켜던 친구였다.

허영으로 가득 차서 껍데기만 남은 그의 모습은
햇빛 아래 파묻은 지 오래다.

그는 야산 중턱 볕이 잘 드는 곳을
묫자리로 썼다고 한다.
봄마다 철쭉꽃 피듯이 흐드러지게
산 위를 거닐도록 해야 한다고
비가 내려도 우산을 펼쳐서는 안 된다고
그의 목소리가 가려져서는 안 된다고
친구들은 말했다.

그의 무덤을 찾아갔을 때
꽃은 시들고
잔풀들은 우거져 잡초가 되어있었다.
바람에 날리는 머리카락처럼
잡초들은 이리저리 쏠리며 울음소리를 냈지만
내 마음은 흔들리지 않았다.

이제 아무도 그를 영웅이라고 말하지 않는다.
땅 밑에는 백골과 살 썩는 냄새만 있을 뿐.
무엇이 있는지 궁금해하지 않는다.

영웅은 그렇게 쉽게 사그라지는 것이다.
세상에는 영웅은 없고 오만과 모함,
욕설만 남는 것이다.

고백

새벽 공기가 차가운 날이다.
그녀는 벤치 한 모퉁이를 비워두고
노란 병아리처럼 앉아있었다.

해가 떠오르려는지
주황빛이 바다 등허리를 타고
전차처럼 달려왔다.
그녀는 태양처럼 눈을 뜨고
미소를 지었다.
나는 취한 듯 그녀 옆에 앉았다.

찬바람이며 바다, 인생 얘기를 하지만
그녀는 듣는지 마는지
시선은 멀리 하늘 너머
아직 남아있는 별을 향하고 있었다.

나는 그녀에게 타들어 가는 심장과
후끈거리는 얼굴의 열기에 대해
이야기해야 했다.
바다를 덮은 황금빛 햇살보다 넓고 깊게
사랑한다고 얘기해야 했다.
그녀는 풀잎에 숨어 귀 기울이는 이슬처럼
침묵하며 나의 고백을 기다렸지만
가벼운 농담과 교만이 나의 입에 머물렀을 뿐이었다.

시간은 영화처럼 지나버리고
그녀는 태양이 떠오르듯 자리에서 일어났다.
나는 가슴이 아려 길게 비명을 질렀다.

사랑은 잘 벼려진 칼이다.
가슴에 품고 고백하지 않으면
스스로를 찌를 뿐이다.

구름

그녀는 내 무릎에 누워
구름은 하늘의 머리카락이라고 말한다.
하늘에는 곱슬머리 구름이 둥둥 떠다니고 있다.
바람은 삭삭 소리를 내며 오래도록 빗질을 한다.
하늘은 감격하여 눈물을 흘린다.
그녀도 눈물을 흘린다.

그녀가 떠나는 것이 너무 아쉬워
밤새 그녀의 머리카락에 빗질을 했다.
눈물은 더 이상 흐르지 않고
여윈 손이 내 가슴에 툭 떨어졌을 때
그녀가 푸른 하늘로 날아가
한 점 구름이 되었음을 알았다.

나는 빗을 들고 하늘을 향해 허우적거리는
허수아비일 뿐이었다.

암

그가 해고된 후
그의 아들이 암에 걸렸다는 것을 알았다.
사람들은 물거품 같은 표정을 지으며
발을 동동 굴렀다.

오늘은 A씨, 내일은 B씨
하나둘씩
이름이 불릴 때마다
느닷없이 암에 걸린 아이가 튀어나왔다.

오늘은 아침 일찍 내 이름을 부른다.
드디어 내 차례인가.
이제 나오지 않아도 됩니다.
갑자기 아내와 아이들 모두 암에 걸렸다.
다리가 후들거렸지만
용케 회사에서 걸어 나올 수 있었다.

살아남은 동료들은 손을 맞잡고 즐거워하겠지.
나는 한동안 회사 주위를 배회할 것이다.
해가 지고, 별이 뜨는 일은
매일매일 되풀이되므로 놀랄 것도 없다.
해고당하는 일도 늘 있는 일이다.
한 사람의 일일 뿐이므로 나 혼자
괴로워하면 된다.

자꾸만 누군가의 울음소리가 들린다.
암에 걸렸구나. 너도 암에 걸렸어.

아! 구름아, 제발 빛을 가려라.
아무도 손 내밀지 마라.
원한이 새싹처럼 파릇파릇하게 돋아나도록
골방에 가만히 내버려 두어라.
암에 걸린 것은 육체가 아니다.

길

시골 커피 가게에
그녀와 단둘이 앉아있다.
그녀는 몸을 가누는 것조차 힘들어하며
나에게 기대었다.

이곳에 이르기까지 참 많이 걸었다.
나무 우거진 틈 사이로 산길을 찾아내고
꽃 사이를 걸으며 밟지 않으려 조심조심
하도 긴장해서 어디서 출발했는지는
기억이 나지 않는다.

억새에 베인 그녀의 손에 빨간 피가 맺혔다.
그녀는 손수건으로 싸매며 말했다.
이곳은 바람이 지나는 길이야.
아파하면 안 돼.
바람이 빠르게 달려와 절망을 던져주거든.

그래서 깊이 아주 깊이 사랑을 해야 해
나는 그녀를 꼭 안고 입맞춤했다.

그녀의 뒤로 해가 지는 것이 보였다.
해가 지는 쪽으로
오래된 전깃줄, 낡은 집들, 추수가 끝난 벼의 밑동이
줄줄이 늘어져 있다.
밝고 힘차던 햇빛은 그 황량한 지대를 건너면서
전염됐는지 쓸쓸함을 가득 품고
힘없이 창문으로 들어왔다.

그녀는 손을 들어 우리가 지나온 길을 가리켰다.
나는 눈물을 머금고
그녀가 가리키는 곳을 바라보았다.
젖은 잎사귀와 물 고인 작은 웅덩이가
고독, 외로움, 쓸쓸함으로 변해 가슴에 스며들었다.

시간은 빨리 간다

얼마나 시간이 빨리 가는지
어제 진 꽃이 오늘 다시 피었다.
흐리던 하늘도 맑게 개고
하얀 구름이 그녀의 웃음처럼 뭉게뭉게 피어오른다.
오래전 심었던 묘목은 어느새 내 키보다 높아지고
길 건너 허허벌판에는 까마득한 빌딩이 들어섰다.

얼마나 시간이 빨리 가는지
장난감을 조르던 아이들이 용돈을 주고
아이들의 아이들은 놀러 가자고 귀를 잡아당긴다.
나도 아이들이었을 때가 있었지.

얼마나 시간이 빨리 지나가는지
얼굴에는 주름이 잡히고 새까맣던 머리카락은
백발이 되었다.

며칠 전 반갑게 맞이하던 의사가
담담하게 암이라고 말해주었다.
아내는 나 모르게 구석에서 흐느껴 운다.

너무 서러워 마시게.
얼마나 시간이 빨리 가는지
우리는 곧 어제처럼 다시 만나게 될 걸세

겨울 소주

하늘이 어둡고 바람이 송송 부는 것을 보니
눈이 올지도 모른다는 생각이 듭니다.
눈이 오면 옛날 시골 툇마루에 앉아
친구와 술을 먹던 생각을 할 겁니다.
무슨 이야기를 나눴는지는 생각이 나지 않지만
술잔 위에 하얀 눈송이가 날아와 앉던 기억을 합니다.
부딪치는 술잔 속에 하얀 눈이 내려앉는 것을 보고
우리는 '겨울 소주'라고 기뻐 소리쳤습니다.
겨울 소주는 눈처럼 차가웠지만
목구멍을 넘어 가슴으로 들어와 활활 타올랐습니다.
신기했습니다.
차가움과 뜨거움, 서로 이질적인 것이 만나
심장을 뛰게 했으니까요.

나는 고양이다

고양이가 하늘을 날았다.
독수리라고 생각했는지
네 발을 펼치고
힘껏 날갯짓했다.

그러나 멀리 날지 못하고
땅바닥으로 곤두박질친다.
동네 여자가 곤죽이 된 고양이를 보고
통곡했다.
불쌍해서 어쩌나!

직장 동료 억기도
옥상에서 날았다.
하늘로 오르고 싶었을까?

나는 책상에 꽃 한 송이를 올려놓고
묵묵히 돌아섰다.

그는 고양이처럼 사장님 다리에
몸을 비볐다.
그러나 이제는 하늘로 날아갔을 뿐이다.
거리의 수많은 사람은 또
누구의 다리에 몸을 비빌까.

책상에 엎드려 머리카락을 쥐어뜯다가
하늘로 날아가는 꿈을 꾸었다.
입가에 침을 질질 흘리며 깨어났으나
아무도 없다. 어둠만 있다.
어디선가 고양이 울음소리가 들렸다.
나는 창틀에 걸터앉아 물끄러미 세상을 보았다.

하늘을 날고 싶다.

나는 고양이다.

회색빛 눈물

비가 내리고 있습니다.
하늘도 회색빛 땅도 회색빛
나는 그 사이에서 회색빛 눈물을 흘립니다.

나는 분명하게 말할 것을 요구했습니다.
내 곁에 남아줄 것인지.

그러나 당신은 회색빛 옷을 입었는지
아무 말도 하지 않았습니다.
당신의 의지는 뿌리 없이
흔들릴 뿐입니다.

당신이 찾아와 꽃을 내밀 때
영원히 함께할 줄 알았습니다.

무엇이 그렇게 두려웠습니까?
나를 위해 떠난다는 말은 하지 마세요.
그저 낙엽처럼 소리 없이 굴러가세요.

당신을 떠나보낸 후
이제 그리움과 이별하겠습니다.
절망한 계절이 꽃을 거두듯이
나의 이름과 청춘을 거두고
회색빛 눈물에 몸을 담그겠습니다.

벽

가시나무가 뒤덮인 언덕을
엎드려 기어올랐을 때
더는 앞길이 황무지가 아니었으면 했다.

멀리 소나무가 담처럼 둘러싸고 있는
야트막한 산등성이를 보고
이제 다 왔으니
가시에 긁힌 배때기의 상처는
농담거리라고 생각했다.

그러나 보았다.
소나무 너머 길게 누워있는
장벽, 거인의 몸뚱이를

수 없이 밤을 새우고
벚꽃처럼 흰 머리 나부낄 때까지
무릎 연골을 잘라내며 여기까지 왔거늘
벽은 차라리 절망보다 더 높았다.

벽 위에 돌개바람이 일고
코끼리 울음소리가 들린다.
무서워 머리를 감싸 쥐고 쥐새끼처럼
벽 아래 어느 구멍에 머리를 처박는다.

그러나 멈출 수 없다.
내 인생의 마지막 길.
하나 남은 벽 앞에서
철 지난 꽃처럼 투덜거릴 수 없다.

보아라. 나의 망치를

돌가루 날리며 두드리는 나의 힘줄을

나는 멈추지 않을 것이다.

벽을 넘지 못하면 부숴서라도

내 여정을 끝낼 것이다.

눈부시다

잔물결 위의 햇살이
물고기처럼 튀어 오르니
눈부시다.

그대의 모습은 강물 위를 뛰어다니는
햇살과 다름없구나.

나는 낚싯대를 휘두르지만
물고기를 잡을 생각은 없다.

오로지 너의 모습을 낚으며
강가에 서 있으니 눈부시다.

세월이 흘러 햇살은
강물 따라 바다로 흐르고
그 뒤를 따르던 반짝임은 아련하지만
물속에 숨어 몰래 숨을 쉬는
추억은 여전히 눈부시다.

이제 돌아와 너를 보니
흙으로 얼룩진 뜨거운 땀이
깊게 파인 주름 사이에 머물고
긴 시간의 노고와 안식이 흰머리에서
햇살처럼 반짝이고 있구나.

사랑하는 그대여 너는 눈부시다.

데오도로 257호

데오도로 257호!
금빛 머리카락을 출렁이며
그녀가 나를 부른다.

나는 그녀 뒤로 그녀의 머리카락을 닮은
저녁노을이 일렁거리는 것을 본다.

하늘은 불그스름한 빛으로 뒤덮이고
낮은 산과 축 늘어진 나무는
검은 실루엣으로 변한다.
그 뒤로 스멀스멀 땅거미가 기어 온다.
아직 조금 남은 푸른빛과 꼬물거리는 구름들.
아, 아름답다.

나는 그녀가 다가올 때까지
차마 고개를 돌리지 못한다.

데오도로 257호, 부르면 대답해야지.
그녀가 내 머리를 퉁 치자
고르르 고르르
엔진 돌아가는 소리가 점점 빨라진다.

그녀는 해가 던지는 마지막
노란빛을 보며 감탄한다.
아름답다.
너는 아름다운 것을 아니?
사람들은 이미 다 잊었는데
그녀는 내 머리의 뚜껑을 열고
전원을 내리려고 한다.

나는 그녀에게 묻는다.

잠깐!

사랑이란 무엇인가요?

어둠이 장막처럼 하늘을 가릴 때까지

고민하던 그녀는

웃으며 전원을 내린다.

데오도로 258호

눈은 말이다. 시체를 덮는 하얀 천이야.
땅 위에는 생명이 날뛰는 것 같지만
사랑하지 못하면 그냥 시체일 뿐이야.
그 위에 하얀 눈이 내리지.

그래, 눈이 내리면 모든 것이 덮여.
원망, 슬픔, 울부짖음, 고통…….
그러나 인간은 하얀 눈을 볼 뿐
그 밑에 무엇이 있는지는 관심이 없어.

내 애인은 화장터에서 태워졌어.
그때 처음 알았지.
연기가 항상 하늘로 오르지 않는다는 것을
강물처럼 언 땅 위를 흐르고 징징거리며 울기도 해.

그 후 처음으로
내 발밑에 무엇이 있는지 관심을 갖게 됐어.

저 멀리 파도가 물결치는 것을 봐.
금방 집어삼킬 듯이 날뛰지만 다가오지 못해.
가상현실이야. 사실이 아니지.
그 밑의 황무지에 낡고 녹슨 쇠붙이들이 널려있어.
그게 사실이야.

너도 곧 그곳에 버려질 거야.
하얀 눈이 덮어주면 좋으련만.
황색 바람이 오염된 먼지만 가득 가져올 테지.
그래도 나는 너를 기억할 거야.
너는 거짓 속에 존재하던 유일한 진실이거든.

데오도로 258호는 고개를 끄덕이며
힘겹게 이야기하는 금발의 그녀를 바라보았다.
새파란 눈동자, 장미꽃보다 붉은 그녀의 입술을.

그러나 번개가 내리꽂히던 날
그녀는 파지직 흔들리더니 소멸하였다.
내 사랑 당신은 홀로그램이었나요?
진실이 아니었군요.
삶을 연장할 이유가 없어졌다.

녹슨 팔, 녹슨 다리, 녹슨 회로, 녹슨 생각
데오도로 258호는 끼긱 소리를 내며
파도 밑으로 기어가 고철들 사이에 누웠다.
멀리 데오도로 259호가 그가 있던 자리에 앉아
호기심 가득한 얼굴로 두리번거리는 것이 보였다.

데오도로 259호

물보라를 일으키며 파도가 몰려왔다.
후다닥 뒤로 물러섰지만
바다 냄새 대신 바싹 마른 흙냄새가 풍겼다.
가상현실이구나.
데오도로 259호는 고개를 끄덕였다.
손끝이 파란빛으로 번쩍이며 경고 신호를 보낸다.
방사능 수치가 이미 한계를 넘었다.

그는 삭막한 땅을 걸으며 두리번거렸다.
멀리 무희가 춤추듯 오로라가 흐느적거린다.
그러나 가까이에는 더 이상 새로운 것이 없었다.

그는 타르륵 타르륵 소리를 내며 걸었다.
언덕을 넘고 웅덩이를 피해,
가끔 폭풍이 일어 먼지에 파묻히기도 했지만
기계 틈새에 낀 흙가루를 털어내며 걸었다.

그는 마지막 임무를 완수해야 한다.

그러나 새로운 것은 없었다.

그는 다시 고철들이 굴러다니는 곳으로 돌아왔다.

아직 에너지가 남았는지

고철 덩어리 한 개가 캑캑 소리를 내고 있었다.

당신은 누군가요?

나는 데오도로 258호야.

녹이 슬어 움직이지 못하지만

가슴의 빨간 불빛은 여전히 깜박거리고 있었다.

데오도로 259호는 그에게 정중히 물었다.

인간다움이란 무엇인가요?

인간다움이란 죽음을 받아들이는 거야.
한 개의 해가 지면 수억 개의 별이 뜨지.
죽음은 죽음으로 끝나는 게 아니라
새로움으로 이끄는 길이야.

죽는다는 것은 무엇인가요?
죽는다는 것은 소멸하는 거야.
내 사랑 금발 아가씨도 그렇게 소멸했어.
나는 그녀의 죽음을 받아들였고
더 많은 아름다움을 가슴에 품게 됐어.
그리움과 기대, 희망, 자유, 행복 ……

그런데 너는 왜 혼자 있지? 너의 임무는 무엇이야?

나의 임무는 인간다움을 찾는 것입니다.

그것은 인간들에게 물어보면 되지 않을까?

인간들은 전쟁이 일어나 모두 죽었습니다.

핵폭탄이 터지고 온 세상은

방사능으로 뒤덮였습니다.

세상에는 단 한 명의 인간도 없습니다.

습관

새끼 고양이가 발가락을 깨물어
나는 하학! 소리를 지르며 깨어났다.

공허한 방 우두커니 앉았다가
달그락 소리에 놀라 고개를 들자
검은 그림자가 보였다.
돌아가신 어머니가 오신 걸까?

나는 무서워 얼굴을 가렸다.
무릎 사이에 얼굴을 묻고
텔레비전에게 말했다.
소리 지르지 마! 너무 무서워

슬쩍 바깥을 내다보았지만
말라붙은 나뭇잎만 달빛에 어렴풋하다.

허연 보자기가 바람에 펄럭이고
말발굽 소리가 머릿속을 뛰어다닌다.
도대체 무엇이지?
손을 내두르며 허우적거리자
으스스한 한기가 들러붙어 잡아당긴다.
밖으로 나와!
짐승이 울부짖는 소리가 들린다.
내 영혼은 무서워 꼼짝 못 하고
조용히 방구석에 처박힌다.

직장도 없는 서른 살
언제부터일까?
두려움은 나의 습관이다.

하루살이

일곱 시에 전철을 탔다.
잠깐 눈을 감았을 뿐인데
열한 시가 되었다.

열하나 빼기 일곱은 넷
한 시간이면 오는 거리를
네 시간이 걸렸다.

세 시간은 어디로 간 것일까.
하루를 살기 위해서
모든 힘을 다 쏟아야 하는데
낭비할 시간이 없는데

시곗바늘이 머리에 박혀 쉴 새 없이
종알거린다. 일을 해, 일을.
피가 흐르지 않을까?

머리를 만져본다.

사람들은 긴 밤을 지나
내일을 향해 가고 있지만
나는 갈 곳이 없다.

오늘 뼈가 부서지도록 일하지 않으면
내일은 없다.

또 하나의 나

그녀는 결혼하겠다고 한다.
나는 몸을 돌려 창문을 바라보았다.
어깨를 늘어뜨리고 우는 사내가 있다.
유리창에 비친 내 모습이다.
밝게 웃으며 축하해 줘야 할 나는 보이지 않는다.
나는 왜 사랑한다고 말하지 못했을까!
나를 드러내지 못하고
네, 네 고개만 끄덕이다 돌아섰을까!

그녀와 함께했던 추억을 따라
오랫동안 도시를 걸었다.
얼마나 오랜 시간이 흘렀는지
흙 대신 아스팔트가 깔리고
나무 대신 콘크리트가
하늘 끝까지 치솟아 햇빛을 가린다.

나는 기가 꺾여 어깨를 늘어뜨리고
마냥 걷는다.
그러나 이 길을 끝까지 걸어본들
그녀를 다시 찾을 수 없을 것이다.

그녀를 보내지 말았어야 했다.
사랑한다고 한마디의 말도 못 하고
일본 인형처럼 고개를 끄덕이는
나는 내가 아니다.

집에 돌아와 거울을 본다.
낯익은 남자가 나를 보고 있다.
핏기가 사라진 얼굴로 끝없이 탄식하고 있다.
나는 얼굴이 새빨갛게 달아오른 채
그에게 손가락질한다.
사랑을 빼앗긴 바보 같은 너는 도대체 누구냐?

잃어버린 소리

바람이 덜커덩 창문을 흔든다.
빗방울은 노크하듯 가슴을 탕탕 두드린다.
그러나 내 귀에는 들리지 않았다.
갑자기 떠나간 지빠귀처럼 소리는 사라져
더 이상 마음을 흔들지 않았다.

함께 노래하던 기타 씨는 예전에 그런 말을 했다.
이제 소리가 들리지 않아. 늙었나 봐.
그는 축 처진 어깨를 하고 안개가 가득한
바닷가 모래사장 속으로 걸어 들어갔다.

어린 시절 아버지가 돌아가신 후
뒷방에 앉아 온종일 흐느낀 적이 있었다.
독한 눈을 하고
북극별과 사막의 여우는 다 거짓이라고 외치는 순간
요정의 소리와 하늘에서 내려오던 빛과 꿈이

다 사라져버렸다.

그 후 아무 소리도 들리지 않는 컴컴한 공간을
길잡이 별도 없이 하염없이 걸어야 했다.
그러나 막다른 길 막막한 공간에 이르렀을 때
내 사랑 그녀가 햇빛처럼 손을 내밀어
나의 몸을 산 정상으로 이끌었다.
하얀 구름과 시퍼런 하늘이 머리를 어루만지고
아름다운 숲이 발아래 양탄자처럼 죽 깔렸다.
오랜 친구의 애틋한 마음이 보이고
가난한 사람들의 서러움에 가슴이 아려오자
소리는 다시 찾아왔다.
긴 여행을 마치고 돌아온 애인을 맞이하듯
기뻐서 크게 부르짖었지만
옛날의 소리와는 사뭇 달랐다.

내가 들은 마지막 소리는
병상에 누운 그녀가 최후의 숨을 내쉬는 소리였다.
그 순간 나는 정지했고
소리는 더 이상 들리지 않았다.

이제 머리카락은 힘을 잃고 잔풀처럼 휘날린다.
이빨은 갈라져
콩 하나 씹지 못할 부스러기가 되었을 때
바닷가 모래사장 속
기타 씨가 걸어간 길을 바라보았다.
목적지를 알 수 없는 안개가 가득한 곳이다.
나는 하얀 어둠이 수의처럼 나를 감싸기를 기다리며
안개 속으로 들어갔다.

그때 멀리서 다시 그녀의 목소리가 들렸다.

가벼운 바람에도 다리가 부르르 떨리고

눈이 감겨 태양을 똑바로 보기 어렵더라도

멈추지 말라고 한다.

그래서 나는 끝까지 가기로 했다.

소리가 나를 끌어줬듯이

내가 소리를 끌고 미쳐서라도 가기로 했다.

여태껏 마음을 이끌어주던 소리가 들리지 않는다면 인생의 여정에서 선택의 시기가 왔다는 것을 깨달아야 한다. 어떤 이는 그 소리를 잃게 되면 실망하고 이제 자신이 늙었다고 한탄하며 인생의 여정을 마감하려 한다. 하지만 현명한 자는 또 다른 여정의 시작이며 성장할 기회라고 생각해서 새로운 길을 찾아 여행한다.

우리는 어려서도 그런 경험을 한다. 부모님이 이야기 하던 꿈과 동화가 다 거짓이라고 생각하는 순간 요정의 소리와 하늘에서 내려오는 빛과 꿈이 다 사라진다. 그러나 희망을 품고 한 걸음 두 걸음 걷다 보면 다시 소리가 들려온다. 우리는 그 새로운 소리가 이끄는 대로 다시 걸어간다. 몇 번이고 소리가 바뀌고 우리는 그렇게 조금씩 성장한다.

소리는 사라지는 것이 아니라 우리가 성장해서 옛날의 소리가 필요 없어진 것이다. 그러므로 우리가 성장을 갈구하는 한 소리는 계속해서 찾아올 것이며, 우리가 멈추는 순간 소리는 더 이상 들리지 않을 것이다.

장지에서

침묵이 온다.

그의 등허리에 풀잎이 벌러덩 드러눕는다.

꽃잎이 짓밟힌다.

벌건 대낮, 어둡지만 분명 밤은 아니다.

슬퍼하는 사람은 하늘을 보지 않는다.

기억은 발바닥에 달라붙은 그림자처럼

검은 그늘이 된다.

고인은 잠든 밤 찾아온 침묵에 눌려

영문도 모른 채 땅에 누웠다.

모여든 사람들은 평안한 죽음이라고 말하지만

입을 벌리고 있는 것으로 보아

무언가 하고 싶은 말이 있었을 것이다.

나는 잘 다져진 묘지를 쓰다듬으며
으레 그렇게 해야 하는 것처럼
한바탕 통곡을 했다.
사람들은 깜짝 놀라 내 입을 막았다.
침묵은 손가락으로 입을 가리며
나지막하게 "쉿!"하고 소리를 낸다.
그 소리는 내 목구멍에 박혀
성대를 자근자근 저민다.
비명이라도 지르고 싶었지만 침묵은
피처럼 빨간 입술로 내 입을 틀어막았다.

나는 반항하고 싶었지만
아무것도 하지 못했다.
그는 조용히 잊혀진 사람이 되었다.

소리가 늦게 들린다

나에게는 소리가 늦게 들린다.

빗소리를 늦게 들어 옷을 흠뻑 적시고
봄 소리를 늦게 들어
꽃구경 하나 제대로 못 했다.

유성이 지나간 후에야 별소리를 듣고
아이가 떠난 후에야
아이의 울음소리를 들었다.
어머니가 돌아가신 후에야
힘겨운 기침 소리를 들었다.

이제 내 여인의 사랑한다는 소리도
듣지 못하고
멀리 떠나보낸다.

내 앞에 황량한 벌판이 펼쳐져 있다.
추수가 끝난 논두렁은
참새 한 마리 없이 황량하다.
나는 논둑길을 따라 힘없이 걷고 있다.
곧 싸늘한 바람이 불어올 것이다.
그러나 아직도
무너지는 가슴소리를 듣지 못했다.

사랑은 그런 것입니다

바람이 불면 나무는
고개를 숙이더이다.
나는 바람이 불지 않아도
고개를 숙일 겁니다.
사랑은 그런 것입니다.

나는 나무보다 더 나무입니다.
멀고 험한 길을 걷다가 힘들면
나를 잘라 의자를 만드세요.
카펫처럼 빨간 피가 흘러도 울지 않을 겁니다.
사랑은 그런 것입니다.

작은 배가 떠나갑니다.
당신이 있는 걸까요?
당신에 대한 그리움은
멀어질수록 점점 더 커지는군요.

어디로 가는지는 묻지 않겠습니다.

아무런 약속도 하지 마세요.

마음껏 방황하고 노래하세요.

당신이 즐겁다면 나는 만족합니다.

사랑은 그런 것입니다.

행여 외로워 눈물이 나거든

돌아갈 곳이 있음을 잊지 마세요.

나는 나무이므로

당신이 쉴 수 있도록

하늘에 닿을 만큼 성장해서

기다릴 겁니다.

사랑은 그런 것입니다.

영감(靈感)

하얀 백지를 앞에 놓고
꾸벅꾸벅 졸고 있다.
더는 아무것도 쓰지 않겠다고
절필을 선언한 지 오래다.
가끔 아련한 영상이 스멀스멀 피어오르며
생각을 자극하지만
눈을 감고 손을 묶는다.

창밖으로 보이는 하늘과 구름
세찬 바람과 함께 달려오는 아우성
귓전에 매달려 소곤대는 이야기들 속에
영감이 미친 듯이 솟아 나온다.
머리를 뚫고 나가려고 몸부림친다.

견디다 못해 연필을 들었지만
긴 공백의 무기력함과 수치심, 게으름이
마음을 짓누를 뿐이다.

생각에 지쳐 백발 모자를 쓰고
강가 언덕으로 간다.
햇빛이 물살에 부딪혀 반짝거리고
새 소리인지 나무 소리인지 뒤통수에서
온종일 휘파람 소리가 들린다.

좋구나, 무릎을 치지만 그때뿐
떠오르는 영감을 접어서
강물에 띄워보낸다.

이제 늦었을 것이다.
늦은 저녁 찬 바람이 불어오면
콜록콜록 폐가 울부짖는다.
무릎이 굳어 나무가 되어
이제는 일어서지도 못하겠다.

너무 오래 살았는가?
더는 새로운 것이 없으니
무슨 감흥이 있겠는가.

늙은 시인에게
영감은 차라리 고통이다.

나는 믿지 않는다

나는 너의 미소를 믿지 않는다.
따뜻하게 어깨를 감싸고
사랑한다고 속삭이는
너의 말을 믿지 않는다.

차라리 비천하게 엎드려
손톱만큼의 행복을 갈구하는
비렁뱅이의 구걸 소리를 믿는다.

산이 눈부시게 아름답다는 둥
새소리 물소리가 너무 좋아 죽겠다는 둥의
말은 하지 마라.
내 눈은 심연으로 향해 있으니
내가 믿는 것은
구정물에 모이는 쇠파리와
고마움을 모르는 욕망뿐이다.

나는 사랑을 믿지 않는다.

사랑할 시간

늦은 가을
나뭇잎이 마른 갈색으로 변해
흙모래에 섞여 길바닥을 뒹군다.

바글거리던 상점들은 문을 닫고
더는 호객하지 않는다.

사람들은 여전히 길을 걷고
그 옆을 무수히 많은 자동차가 지나간다.

계절이 바뀌면
사람들은 옷을 갈아입을 것이다.

있었던 것이 사라지고
잊었던 것이 다시 나타난다.
그러나 기다리는 사람은 나타나지 않는다.

나는 버스 정류장에 앉아
물끄러미 오가는 버스들을 바라본다.

버스 운전기사는 내 눈과 마주치자
고개를 돌려 그냥 떠난다.
세상은 다 그렇게 떠난다.

이제 크리스마스 캐럴도 들리지 않는다.
하얀 눈이 머리를 덮어도
그저 겨울나무처럼 부르르 몸을 떨 뿐이다.

얼굴을 가리고 오랫동안 눈물을 흘린다.
사람이 이렇게 그리운 적이 없다.
이제 사랑할 시간이다.

종각역에서

무더운 날 지하철을 기다리고 있었다.
누군가 부르는 소리에 돌아보니
그녀가 웃고 있었다.

낡은 옷과 거북한 향수 냄새
조금 창백한 얼굴과 거친 손
아침 햇살처럼 반짝이던 모습은 아니었다.
호기심 가득한 눈으로 뛰어다니며
밥을 사달라던 호기는 보이지 않았다.
다만 내가 선물한 목걸이는
추억에 매달려 힘없이 흔들거리고 있었다.

멀리서 지하철이 달려오고
출입문이 열릴 때까지
무엇을 기다리는지 망설이던 그녀는
쓸쓸하게 웃으며 기차를 탔다.

나는 결정을 하지 못하고 고개를 숙인 채

몇 번이나 이별하고 돌아섰다.

무언가 소중한 것을 놓친듯하여

몇 차례 기차를 흘려보내고

종각역을 거슬러 올라간다.

천하제일검

천하제일검이라 불린 고수가 있었어.

수십 년간 산속에서 수련한 끝에 무술의 경지를 터득했지. 이 산, 저 산으로 획획 날아다녔고 그가 한 번 손을 휘저으면 나무들이 뿌리째 뽑혀 나갔어. 검을 휘두르면 집채만 한 바위도 두부처럼 반듯하게 잘렸어. 사람들은 연일 천둥 치는 소리가 들리고 번개가 번쩍이는 것을 보고 저 산에 천하제일검이 산다고 얘기했어.

그는 이제 되었다고 생각하고 세상으로 나왔어.

고수들을 찾아다니며 무술을 겨뤄볼 생각이었지. 그러나 아무도 그의 앞에 나서려 하지 않았어. 그의 칼을 당해낼 사람이 없다는 소문이 자자했기 때문이야. 칼을 쓸 곳을 찾지 못하자 칼이 점점 무뎌져 바위에 갈고 또 갈았어. 허무와 공허가 몰려왔지. 왜 뼈가 갈리는 고통을 겪으며 수련했는지 회의가 들었지. 그는 피를 토하며 노래를 불렀어.

'세상은 나를 알아주지 않고 나를 쓰려고 하지 않네. 천하제일검이라는 명성은 허울뿐. 나는 하루하루 끼니를 때우기도 어렵다네.'

어느 날 산길을 걷다가 산적들을 만나게 되었어.

산적들은 그를 보고 칼을 빼 들었지만 범상치 않음을 느끼고 함부로 덤비지 못했어. '천하제일검'이 오고 있다는 소문을 들었기 때문이지. 그가 '천하제일검'일지도 모른다고 생각을 한 거야. 하지만 그도 검을 뽑지 못했어. 한 번도 싸워본 적이 없었기 때문에 너무 무서웠어. 결국 산적들이 물건을 훔쳐 달아나는 것을 물끄러미 지켜볼 수밖에 없었어. 그런 일들은 되풀이됐어. 악당들을 보아도 가슴에 품은 칼을 만지작거릴 뿐 뽑지는 못했지. 언제부턴가 사람들은 그를 보고 천하제일의 겁쟁이라고 손가락질했어.

그는 다시 산속으로 들어갔어. 그가 있는 산속에서 연일 천둥, 번개가 치고 폭풍이 몰아쳤지. 사람들은 얘기했어. 저 산속에 천하제일검이 산다고.

그러나 끝내 그는 칼을 뽑지 못했어.
칼을 품고 뽑지 않으면 결국 자신을 찌르는 법이야.
훗날 사람들은 산에서 자신의 칼에 찔려 죽은 그를 발견했어.

괜찮아요

미안해요. 비가 오는데 오래 기다리게 해서.
괜찮아요. 덕분에 음악처럼 아름다운
빗방울 소리를 들을 수 있었어요.

미안해요. 맛있는 걸 사주지 못해서.
괜찮아요. 그대가 마음으로 요리한 음식은
솜사탕처럼 달콤했어요.

그런데 손이 너무 차갑군요.
무슨 일이 있나요?
괜찮아요. 감기 기운이 있나 봐요.
하지만 당신의 사랑 덕분에
하나도 아프지 않아요.

당신. 땀을 흘리는군요.

병원에 가야겠어요.

괜찮아요. 이 땀은 당신을 향한

나의 그리움이에요.

미안해요. 끝까지 당신 곁에 있지 못해서.

괜찮아요. 당신이 나를 사랑하는 한

내 곁을 떠난 것이 아니에요.

별과 하늘처럼

언젠가는 다시 만날 거예요.

꽃이 보인다

30년 지기 친구의 죽음을 묵도하고 오는 길에
꽃이 보였다.
친구가 꽃을 사랑하던 기억 때문일까?
꽃은 항상 그 자리에 있었을 텐데
이제야 보였다.

조문객들은 그가 좋은 사람이었다고
세상은 아까운 사람을 잃었다고
구시렁대지만
그들 눈에도 꽃이 보일까?

꽃은 더러운 길가에 피어있다.
먼지를 뒤집어쓰고
오가는 온갖 욕을 들으며
고작 한 줌의 햇살을 갈구하고 있다.

친구는 갖가지 꽃이 흐드러지게 피어있는
옛 사찰을 돌아보자고 얘기했었다.
나는 웃으며 쓸데없는 일이라고 대답했다.
발밑의 꽃보다 눈앞의 이상이 더 소중하다고 했다.
친구는 절망적인 눈빛으로 나를 바라보며
협곡을 거니는 메아리처럼 길고 긴 한숨을 토했다.
그것이 친구의 마지막 모습이다.

그런데 꽃이 보인다.
친구의 환영은
이상은 멀리 있지 않다고 말하듯
손가락을 곧게 펴고 꽃을 가리켰다.
다시 보니 하늘 끝의 별과
눈앞의 꽃은 크게 다르지 않았다.
아직 의심과 두려움이 심장에 남아있기에
겉으로는 부정하지만 외면할 수 없다.

나는 길가에서
꽃처럼 흙먼지를 뒤집어쓰며
오랫동안 서 있었다.

아, 정말!
꽃이 이렇게 눈에 들어올지 몰랐다.

허상

어렵게 들어온 직장이었다.
퇴근하겠다고 말하자
그자는 열흘 치 일감을 던지고
싸하게 웃는다.
나는 어이가 없어 노려보지만
그자는 자랑스럽게
자신의 명패를 쓰다듬으며
하루는 24시간이라고 말한다.

가끔 그자는 내게 묻는다.
어제 뭐 하셨어요?
잠을 자고 밥을 먹고
가끔 똥을 쌌습니다.
참 대단한 일을 하셨네요.

그자는 밑을 닦고 휴지를 던지듯
열흘 치 일감을 던졌다.
갈 곳을 잃은 나는
황토 산에 꽂아놓은 묘목처럼
밤새 부르르 떨었다.
며칠째 기침은 폐 밑바닥에서
핏덩어리를 끌고 올라왔다.
참지 못하고 침을 뱉는다.
나를 기다리는 아내와 아이들은
나의 폐와 심장이 빨간 비명을 지르는 것을
모르겠지.

주저하다가 그자의 방문을 열었다.
손가락질하는 그의 앞에
사직서를 던졌다.
수년간의 공로와 노력을 던졌다

그러나 내 손에는
아무 업적도 남아 있지 않다.
어둠처럼
공허한 바람이 불고 있을 뿐

나는 무엇을 한 것일까?
언제부터일까? 애당초 없었을까?
나는 허상인가?

허수아비

추수가 끝났는가?
짚단들이 나뒹굴고
태양은 지쳐 벌써 땅거미를 뽑아내는구나.

서늘한 바람은
젖은 흙냄새를 풍기며
해지는 곳으로부터 쓸쓸하게 걸어온다.
나는 맞이하지 않을 수 없다.

이제 곧 밤이 오겠지
비 온다는 소식이 없으니
하늘은 맑겠구나.
당신을 볼 수 없다면
별이라도 봐야겠다.

바람에 휘말린 나뭇잎은
내 인생처럼 쏜살같이 뒤로 달아난다.
남은 것은 늙은 머리카락과 해진 셔츠,
돌아온다는 당신의 약속뿐이다.

그러나 당신은 끝내 돌아오지 않고
당신을 기다리던 마음은 지치고 말라붙어
허수아비가 되었다.

이제 사랑을 말할 힘도 없다.
그저 짧게 잘린 벼 밑동을 밟으며
서늘한 아픔을 느낄 뿐이다.

귀머거리

양아치 새끼한테 두들겨 맞은 후
소리가 들리지 않는다.

괜찮다. 그저 괜찮다.
선생님 말씀.

슬프게도
나를 부르는 어머니의 소리도
들리지 않는다.

며칠 굶은 고양이가
빨간 피 소리를 내어도
듣지 못한다.

지나가는 노인의 기침 소리
버러지처럼 쫓겨 다니는 사람들
주인을 찾아 헤매는 강아지 소리
듣지 못한다.

나의 귀는 막힌 것일까?
이렇게 어른이 되었는데.

거울을 들고 동굴 같은 귓구멍을 바라본다.
고막을 두드리며 울부짖지만
밖으로 나오지 못하는 벌레 한 마리가 있다.

나는 원래 자랑스러운 아들이었다.
소리는 갈 곳을 일러주고
소리를 따라 움직여야 하는데
소리가 들리지 않는다.

더 이상 듣지 못하는 나는

내가 아니다.

고막에 갇힌 벌레일 뿐이다.

이사 가는 날

이사 가는 날이다.
소주 박스 어깨로 나르던 아버지
오십견이 왔단다.
더는 짐을 지지 못한단다.
그래서 열세 평
반지하 방으로 이사 간다.
오래된 책, 귀한 LP판, 전축,
그리고 자존심
다 버리고
절망한 나의 넋을 주워
박스에 담는다.

아들

술에 취한 아들의 등을 두드려 준다.
가죽과 뼈만 남은 듯 딱딱 소리가 나서
앙상한 겨울 나뭇가지를 생각한다.

왜 이렇게 말랐는가?
아들은 손을 뿌리치고 단풍처럼 빨갛게 물든 얼굴로
괜찮다고 소리친다.
낯익은 표정이다. 어디서 보았을까?

오랜만에 인터넷 메일을 열어보았다.
낡은 상점 같아 잊어버린 곳인데
그날따라 추억이 그리웠던 것일까?

옛날 아주 옛날 10년도 더 지난 옛날
아들이 보낸 메일을 보았다.

학용품을 사주셔요.

속 썩여서 죄송해요.

아빠 이야기 좀 합시다.

수십 개의 메일이 쓰레기처럼 방치되어 있었다.

나는 새까맣게 잊고 하나도 답장하지 않았다.

그랬구나. 아들의 표정이 원망으로 가득했던 것이.

오늘 아들의 표정이 낯익었던 것이.

나뭇잎은 몸을 흔들며 강물을 따라 흐르고 싶어 한다.

나는 나무처럼 꽉 붙잡고 놓아주지 않으려 하지만

벌써 강물 위에 떨어져 저만치 흘러간다.

나는 말 없이 손을 흔들 뿐이다.

아들아!

강물은 소용돌이치고 높게 치솟기도 할 것이다.

때로는 강변 진흙더미에 붙잡혀

옴짝달싹 못 할 수도 있다.

바다는 멀지 않지만

울며 포기할 수도 있을 것이다.

그때는 나에게 하소연하렴.

그러나 답장을 받지 못했던 너는

아무 말도 하지 않는구나.

눈물

밤새 칼바람이 몰아쳤다.
수전증에 걸린 노인처럼
부르르 떨던 나뭇잎에 이슬이 하나 맺혔다.

이슬에는 긴 밤을 견딘 나뭇잎의
인내와 아픔이 서려 있으니
무심코 떨어진 물방울과 다르다.

허리가 구부러진 주름투성이의 노인
옛 친구의 묘지 앞에서 눈물을 흘린다.
눈물은 깊게 팬 주름 길을 따라 흐르다
땅에 떨어지기도 전에 말라버린다,
눈물은 먼지에 섞여 쉰내가 난다.
그러나 긴 삶의 고뇌와 수고가 고스란히 담겨있으니
철없는 아이의 눈물과는 많이 다르다.

그것은 가을날

이별하는 나뭇잎보다도 서럽다.

시인

너와 나에게
시간의 흐름은 서로 다르다.

아마도 나의 시간이 훨씬 더
더디게 흘러갈 것이다.

왜냐하면 나는
생각하는 사람이기 때문이다.

선물

오래전 떠나버린
그에게서 선물이 왔다.
빨간 장미꽃 스카프
나는 바라지 않았는데
내가 원하는 것은 추억이 아닌데

그의 빠른 걸음에 지쳐
나는 항상 뒤처졌었다.
멀리서 안타깝게 바라보는
그의 눈초리에
미안함을 감추려고
새빨간 욕을 했다.

화를 내며 소리치길래
짐승처럼 으르렁거렸더니
꼬리를 내리고
그냥 기침한 것이라고 했다.
솔직했으면 좋았을 것을

미안하다고 말하려고 했으나
그는 그냥 갔다.
구름처럼 둥둥 떠서
바람처럼 떠나갔다.

그래도 한때는
나무들처럼 사랑하지 않았던가?
왜 기다려주지 않고
네 마음대로 가는가?

그가 던져준 눈물 같은 스카프에
영가등 하나 달아 놓았다.

나는 이제
기쁨과 행복으로부터 자유로워졌다.

가위 바위 보

추적추적 내리는 빗소리에
잠을 깼다.
새벽 3시
귀신이 돌아다닌다는 시간이다.
화장실에 가니
거울의 내가 웃고 있다.
거울의 나는 손을 내밀며
가위바위보를 하자고 한다.
나는 졸린 눈을 비비며 가위를 냈다.
거울은 보자기.
거울의 나는 원한이 가득한 눈빛으로
나를 쏘아본다.
살짝 미소를 머금고
이불 속으로 들어가려는 순간
싸늘한 냉기가 등골을 타고 흘러내린다.

거울의 눈빛은

오래전 떠나간 국밥집 황 씨와 닮았다.

문득 떠오르는 생각.

내가 졌다면 어떻게 되었을까?

야근

어둠은 커튼처럼 창문을 가리고 있다.
시곗바늘은 자정을 넘어가고
여자 친구는 더 이상 전화를 받지 않는다.

저벅저벅
낯선 발소리가 복도 끝에서부터
다가오고 있다.
무서워요. 무서워 죽겠어요.

책상에 쌓여있는 서류 뭉텅이가
입을 꽉 다물고 노려본다.
고함을 지르며 손바닥으로 내리치자
호치키스가 망상처럼 손바닥을 찍었다.

깊고 진득한 내 비명은
두려움에 묻혀 벌레 소리보다 작았다.

나는 텅 빈 사무실
책상 위로 올라가 눈물이 마를 때까지
덩실덩실 춤을 추었다.

애처롭게 나를 응시하던 나의 꿈은
캄캄한 창밖으로 몸을 던졌다.

정년

내일은 정년이다.
밝게 웃는 사람
아쉬운 듯 손을 내미는 사람도 있지만
작별 인사는 하고 싶지 않다.
그냥 없었던 듯 지나가고 싶다.

힘들게 살아왔지만 벌어놓은 것은 많지 않다.
동기는 껄껄거리며 웃고 있지만
주식을 잘못해 빚만 가득한 것으로 알고 있다.

그는 마지막으로 여행을 가고 싶다고 했다.
나도 같이 가자고 했지만
끝내 손을 내젓는다.
다시 볼 수 있을까?
먹구름이 밟고 간 듯
가슴이 철렁하다.

정년을 앞둔 사람들을 만났다.

직장을 그만두고

아파트 주변을 산책하는 사람들도 만났다.

모두 활짝 웃고 있지만

그 웃음은 강냉이 속처럼 공허하다.

서 있을 곳이 없어 전깃줄에서 툭 떨어진

참새 같지 않은가?

누군들 마음에 상처 하나 없을까?

대부분 미소로 감추며 입을 닫고 있으니

그저 잘 가라고 손을 흔들 뿐이다.

방랑자들의 시장

지금의 전쟁은 총성이 들리지 않는다.
피는 육체에서 흘러나오지 않으므로
빨갛지 않다.

지하철 고단한 구멍에서
알바들이 쏟아져 나온다.
싸구려 용병처럼 종이 한 장에 팔려 가고
손바닥만큼의 생존을 위해서
기꺼이 전쟁을 치른다.

그곳은 방랑자들의 시장이다.
목이 묶여 멜론 빛 얼굴로 호객하다가
그림자의 그림자가 된다.

총알이 심장을 관통해도
칼날이 머리를 난도질해도
앓는 소리 하나 없다.

해가 지고 어둠이 뿌리내린다.
침묵의 시간이 왔으니 보아라.
폭탄이 떨어진 후
무너진 건물의 잔해처럼 서 있는 알바들을

팔다리가 찢기고 머리가 떨어져도
그것은 내 것이 아니라고 거짓말하며
다음 날 새벽
그들은 시장에 다시 모인다.

로봇의 사랑

바람이 불지 않아
기름 냄새가 해파리처럼 떠도는 곳
로봇은 아픈 고철 더미를 안고
거무튀튀한 바위에 앉아있다.

너는 한때 도시의 우상이었지.
맑고 영롱한 목소리로 도시를 깨우던 너는
폭탄이 터지는 순간 고철 더미가 되었어.
도시에 살아있는 인간이 없다는 것을 알고
더는 움직이지 않았지.

로봇은 가만히 고철 더미를 쓰다듬었다.
철판 같은 피부는 녹이 슬고 온기는 없다.
다만 금속으로 된 심장이 뛰고 있기에
너를 놓지 못하는구나.

물기도 없는 건조한 벌판에
마음을 표현할 것은 하나도 없지만
너를 사랑하는 것은 분명해.
분석하고 계산하지 않아도 알겠어.
너를 생각하면 에너지가 끓어오르고
회로가 빠르게 돌아 타버릴 것 같거든.

마지막 비행선이 왔지만
녹슨 너를 버릴 수 없어서
움직이지 않았어.
살아있는 것을 찾다가
비행선은 홀로 날아갔지.

희망이 아득히 멀어지는데도
나는 두렵지 않았어.
생명은 없지만 나의 희망은 이 황폐한 땅
폐기물로 뒤덮인 썩어가는 이곳에 있기 때문이지.

로봇이 고철 더미의 가슴을 열고
금속선을 연결하자
둘은 비로소 하나가 되었다.

사랑은 버리는 것이다

멀리 해가 진다.
추수가 끝난 뒤 들판은
아무런 온기도 남지 않은 황무지 같다.

햇빛은 그 황량한 지대를 건너면서
낮고 쓸쓸한 목소리로 속삭인다.
사랑은 버리는 것이야.

나무들이 나뭇잎을 다 버리고
벌거숭이가 되어 겨울을 나듯이
장마가 오기 전 댐의 문을 열어
물을 흘려보내듯이
남김없이 다 버리는 것이야.

그러나 나는 아무것도 버리지 못했다.
자존심, 욕심, 이기심의 옷을 몇 겹씩 껴입고
먼 길을 떠난다.
그녀는 가만히 손을 흔들 뿐.

검은 구름이 머리 위에 비를 뿌린다.
그녀의 눈물인 듯해서
모자를 벗고 정중하게 맞이한다.

오랜 시간이 흐른 후
나무 그늘에 앉아 지는 해를 바라본다.
다리가 풀리고 손은 가만히 있어도
부들부들 떨린다.

백발이 되고
지치고 힘에 겨워 일어서기도 어려울 때
비로소 모든 것을 다 버렸다.

그러나 이제 그녀는 없다.
하지만 모든 것을 다 버렸으므로
혼자가 아니다.

별을 찾는 이유

사방을 알 수 없는
막막한 사막이나 망망대해에서
별을 찾는 이유는
별에 가려는 것이 아니라
길을 잃지 않기 위함이다.

어둠에 갇혀 길이 보이지 않을 때가 있다.
그러나 멈춰서는 안 된다.
삶의 목적을 찾아 끝까지 가야 한다.
목적이란 길잡이별과 같아서
너에게 바른길을 안내해 줄 것이다.

삶의 목적을 향해 나가는 여정에서
심각한 어려움을 겪을 수도 있다.
하지만 어려움은 너를 강하게 만들어
목적에 도달할 힘을 줄 것이다.

조그만 성취가 있더라도

지나치게 기뻐해서는 안 된다.

행복은 안주하는 데 있는 것이 아니라

고난과 역경을 헤쳐 가는 데 있다.

목표를 잃지 않고 살아가는 과정은

매우 고되고 힘들 것이다.

그러나 잊지 마라.

모든 기쁨과 행복은 그 과정에 있으니

네가 끝까지 별을 품고 갈 수 있다면

결국에는 크게 성장할 것이다.

고드름

처마 밑에
얼어붙은 고드름
스님은
치울까 말까 망설이다
그냥 내버려 둔다.

뎅그렁!
갑자기 울리는 풍경소리
바람은 불지 않았다.
고드름만 바들바들 떨고 있을 뿐.

이것은 누구의 소리일꼬?
스님은 다 알고 있는 듯
빙긋 웃는다.

고드름은 비로소
처마를 잡은 손을 놓고
물방울로 변해
맨땅에 뚝뚝 떨어진다.

바람이 다니는 길

우연히 가게 된 길
나뭇잎이 수북하게 쌓여있고
발자국은 보이지 않는다.
멀리 해가 지는지
어둠은 스멀스멀 내 뒤를 쫓아온다.
비가 올 듯
가끔 부는 바람에
습기가 가득하다.
아, 우산을 두고 왔구나.
당황해서 손바닥을 바라본다.
그러나 텅 빈 공허뿐
우산을 어디에 두었는지 기억나지 않는다.
내가 온 곳도 까마득하다.

나는 걷고 또 걷는다.

다리가 풀리고 허리가 굽어져

난쟁이만큼 작아질 때까지.

오래 걸을수록

사랑하는 사람은 사라지고

친구들은 다 떠나간다.

멀리 보이는 건 병상의 하얀 침대

그 위에 병든 내가 누워있다.

아무도 날 위해 울어주지 않는다.

바람만이 횡횡 슬픈 소리를 낼뿐

나는 비로소 알겠다.

이 길은 바람이 다니는 길이었음을.

눈물과 고통을 붙들고 불어오는 바람.

힘들어 주저앉으려고 할 때

내 등을 떼밀던 바람.

바람은 이마의 땀을 닦아주며 소곤거린다.

세상에는 즐거움만 있지 않아

누구에게는 좋은 것이 누구에게는 나쁠 수 있어.

누구에게는 기쁨이 누구에게는 고통일 수가 있어.

지나치게 기뻐할 필요는 없지만

지나치게 슬퍼하고 절망할 필요도 없어.

그저 감사하고 배려하며 앞으로 가면 돼.

별은 언제 슬퍼하는가

공항에서 내 친구 별을 보았다.
그는 목도리를 얼굴에 두르고
모습을 감추려고 하지만
명품 옷을 휘감고 있어서
모를 사람은 없다.

나는 힘차게 그의 이름을 부른다.
그러나 나의 소리는
함성에 묻혀 먼지처럼 사라지고
그는 두리번거리지도 않는다.

나는 악착같이 가까이 간다.
힘껏 얼굴을 들이밀어
그와 눈이 마주친다.

그런데 그의 눈에
별처럼 이슬이 반짝인다.
울고 있는 것인가?
내가 잘못 본 것인가?

나는 우두커니 서서
그의 축 늘어진 어깨를 바라본다.

여전히 그의 주위로
환호성이 물밀듯이 밀려오지만
그는 목도리에 얼굴을 파묻고 있다.

배웅

카페거리의 사람들은
커피 향기처럼 공간을 떠돌며
웃고 있다.
그녀는 그들과 마찬가지로
소리치며 깔깔대지만
표정은 딱딱하게 굳어있다.

그녀의 노란 머플러가
나비처럼 바람에 펄럭인다.
나는 불길한 심정으로
그녀를 쫓아가지만
그녀는 좀체 돌아보지 않는다.

그녀는 나를 받아들일 수 없다고
혼잣말하듯 중얼거린다.
나는 무슨 소리냐고 따졌지만
그녀는 바람에 실려 가듯
점점 멀어진다.

멀어질수록 그녀의 모습은
점점 커진다.
빌딩처럼 산처럼 구름처럼 커져
이윽고 하늘을 덮는다.

나는 깡충깡충 뛰며 허우적거리지만
내 손은 그녀의 발끝에도 닿지 못한다.

나는 걸음을 멈추고
힘없이 그녀에게 잘 가라고 말한다.

대지의 꿈

푸른 하늘과 하얀 구름
바라보기만 해도 눈이 시려
눈물이 쏟아질 것 같았네.

대지는 오묘한 빛의 조화에 감탄하여
간절히 기도했네.

나는 하늘빛을 닮고 싶어!

그러나 황갈색의 마른 흙과
사막의 모래가 뒤덮고 있을 뿐이었네

밤이면 촘촘하게 하늘에 박히는
반짝이는 별들

해가 뜨고 질 때마다
붉게 물드는 하늘
그 모습을 보며 탄성을 지르는 사람들

나는 하늘을 닮고 싶어!

대지는 몸부림치며 더욱 크게 소리쳤네.
그의 소리는 오솔길 사이 물길을 따라
또는 산등성이를 타고 달려갔지만
대지를 덮는 것은 바람 소리뿐
아무도 들을 수 없었네.

대지는 참지 못하고
울음을 터뜨렸네.

하늘은 가여운 대지를 위해
눈물을 흘렸네.
구름이 땅에 닿을 듯 가까워지고
하늘은 회색빛으로 물들었네.

눈물은 비가 되어
촉촉이 대지를 적셨네.
빗물은 온 세상을 회색빛으로 뒤덮고
대지는 비로소 하늘빛이 되었네.

강 안개

그곳의 새벽은 항상 안개가 끼어있다.

해 뜨는 것을 보기 위해
새벽에 나왔지만
어느새 안개가 주변을 덮는다.

내키지는 않았지만, 안개 속으로 걸어간다.
보이는 것이라곤 하얀 안개뿐
시간은 안개에 덮여 정지한 것 같다.
과거와 현재, 미래의 구분이 없어진다.

지금 내가 어디에 있는지도 알 길이 없다.
그저 홀씨처럼 바람에 떠밀려
이리저리 갈 뿐이다.

안개 위에 과거의 영상이 맺힌다.

나는 자꾸 과거로 빠져든다.

밝고 즐거운 일보다

부끄럽고 아쉬운 일이 많았는데.

눈을 감아보지만

안개는 과거의 추억들에 대해

계속 소곤거린다.

바람이 불자

안개는 빠르게 어디론가 흘러간다.

하지만 나는 추억에 갇혀 움직이지 못한다.

내가 있는 곳은 어디인가?

차가운 강물이 다리를 적시고

몸이 시려 달아나고 싶지만

어디로 가야 할지 알 수 없다.

점차 안개가 걷히고 사방이 훤히 트인다.
잔잔한 강물과 줄지어 선 나무 그림자가
눈앞에 확 펼쳐진다.

코끝을 간질이는 가벼운 바람이
잔물결을 일으킨다.
안개는 갔으나
바람에게서 여전히 과거의 냄새가 난다.

주변에 아무도 없다.
나는 부끄러운 추억과 함께
강변 위에 홀로 서 있을 뿐이다.

차가운 길

따뜻한 봄

옷을 한 겹 벗어도 좋은 날이다.

그녀는 봄바람에 옷깃을 날리며

활짝 웃는다.

그러나 무언가 어색하다.

어깨를 맞대고 걷고 있지만

그녀와 나 사이에 싸늘한 냉기가 흐른다.

모르는 누군가 있는 것 같기도 하다.

나는 그사이를 들여다본다.

좁고 긴 길에

외로움과 슬픔, 고통이 뭉텅이로 걷고 있다.

나는 길게 탄식한다.

그녀는 상처받은 듯 원망의 눈길로 나를 바라본다.

나는 그 길에 발을 들여놓는다.
갑자기 살을 엘 듯 찬 바람이 분다.
이가 딱딱 맞부딪치고
외줄에 서 있는 듯 몸이 덜덜 떨린다.
왜 이 길로 왔을까!
깊이 후회를 했지만 이제 돌이킬 수 없기에
길이 되어 가야 한다.

그 길은 그녀와 나 사이를 가르는 차가운 길이다.
사랑의 찌꺼기 같은 냉기가 흐르는 길이다.

나는 허연 입김을 내뿜으며 그녀에게 다가간다.
위로하고 싶지만, 그녀는 앞으로 갈 뿐이다.
나는 사랑이 끝날까 두려워 계속 속삭인다.
멈춰줘. 제발.

그러나 그녀는 끝내 돌아보지 않는다.

컴컴하고 고독한 곳.

그 길의 끝으로 질주한다.

꽃

꽃잎은 화려하지만
벌 나비는 꽃잎에 모이지 않는다.
그들은 달콤한 꿀과 자양분이 숨어있는
꽃술에 모인다.

그러므로 아가들아
너희들은 꽃잎이 되지 말고 꽃술이 되어라.

돌멩이

동그란 돌멩이가 있었다.

돌멩이는 높은 산에서부터 데굴데굴 굴러 초목이 우거진 들판으로 왔다.

유리구슬처럼 반들반들했고 햇빛에 비추면 맑은 거울 같은 아주 예쁜 돌멩이였다.

들판에서 혼자 놀던 돌멩이는 사람들이 서로 이름을 부르는 것을 보았다.

개와 고양이 심지어 꽃과 나무의 이름까지 불렀다.

바람, 하늘, 구름과 별의 이름도 불렀다.

왜 나에게는 이름이 없을까?

돌멩이는 고민에 빠졌다.

더 이상 깔깔거리지 않았고 얼굴은 수심에 가득 차서 거무튀튀하게 변해갔다.

돌멩이는 누군가 그의 이름을 불러주기를 바라며 쉴 새 없이 굴러갔다.

들판을 달리고 개울을 건넜다.

큰 바위에 부딪혀 파란 멍이 들기도 했지만 멈추지 않고 이리저리 돌아다녔다.

어느 작은 농가에서 삼색 고양이를 만났다.

돌멩이는 고양이에게 물었다.

"안녕. 너는 내 이름을 아니?"

고양이는 고개를 갸우뚱하며 대답했다.

"내가 그걸 어떻게 알아? 이름은 네가 나에게 알려줘야 해."

이름이 없는 돌멩이는 얼굴이 빨개져 다른 곳으로 달려갔다.

그곳에는 허수아비가 바람에 펄럭이며 새를 쫓고 있었다. 돌멩이는 다시 물었다.

"혹시 내 이름을 알려줄 수 있나요?"

허수아비는 거들떠보지도 않고 말했다.

"저리 가! 내가 얼마나 바쁜지 보이지 않아?"

돌멩이는 계속 돌아다녔지만 아무도 그의 이름을 알려 주지 않았다.

비가 오고 바람이 불고 시간이 흐르자 그는 닳고 닳아 점점 작아졌다.
돌멩이는 풀밭에 누워 생각했다. 나는 살아있는 것이 아닌가 봐. 나는 죽은 거야.
돌멩이는 땅바닥에 파묻혀 죽은 듯 움직이지 않았다.

시간이 흘러 몇 번 계절이 바뀌었지만, 돌멩이는 여전 히 그 자리에 있었다.
그때 길을 가던 아이가 햇빛에 반사되어 반짝이는 돌을 보고 달려왔다.
"여기 예쁜 돌이 있네."
아이는 돌을 들고 만지작거리며 말했다.
"너는 어디서 왔니? 무엇을 하니? 외롭지 않니? 이름이 뭐니?"

아이는 쉴 새 없이 물었지만, 돌멩이는 이름이 없기 때문에 대답할 수 없었다. 아이는 계속 재잘거렸다.

"이름이 없는 모양이다. 그러면 내가 이름을 지어줄게. 음. 너는 아주 단단하니까 단단이라고 하자. 단단아!"

돌멩이는 아이가 이름을 불러주는 순간 활짝 웃었다.

"내 이름은 단단이구나. 나는 저 산꼭대기에서 왔어. 산비탈을 타고 내려오다가 계곡에 빠져 시냇물을 따라 왔어."

"와, 고생이 많았네. 그래서 이렇게 멋진 단단이가 되었구나. 우리 아빠가 고생을 많이 하고 이겨내면 멋있는 사람이 된다고 했거든."

"그래. 너도 멋진 친구야."

돌멩이는 너무 기뻐서 펑펑 눈물을 흘렸다.

아이가 이름을 부르는 순간 그는 생명을 갖게 되었다.

장지에서

사람들은 나를 둘러싸고 말했다.
당신은 항상 정직했고 불의에 굴하지 않았다고.
나는 오동나무 관에 누어
가슴에 두 손을 모으고 입을 꽉 다물었다.
그들의 말이 진심인지는 알 길이 없으나
기분이 나쁘지 않았다.

이제 곧 뚜껑이 닫히고 흙이 덮일 것이다.
내가 이룩했던 모든 업적도 함께 덮이겠지.
사람들은 눈물을 흘리지만, 곧 잊어버릴 것이다.

무덤 저 아래서 노랫소리가 들린다.
나는 귀를 막고 싶었으나
삼베로 꽁꽁 묶여 움직일 수 없다.
나는 좀 더 고상하게 떠나고 싶다.

언제 나타났는지 개미가 내 살을 물어뜯는다.
땀구멍으로 들어와 터럭 밑뿌리까지 갉아먹는다.
땅거미에 숨어 군대처럼 밀고 들어온다.
나는 금방 해골이 되겠구나.
제발 그만둬요.
나의 외침은 돌덩어리에 매달려 호수에 가라앉는다.
다 썩어 뼈만 남을 때까지 떠오르지 않을 것이다.

무덤가 푸르른 나무들도
눈부신 단풍 빛깔을 쏘아낸 후
앙상한 뼈다귀를 드러낼 것이다.

삶이란 그런 것이다. 무슨 욕심을 낼 것인가.
산 자들아.
너희들의 인생도 다르지 않다.

투명인간

안녕하십니까?

크게 인사를 했다.

그런데 아무도 대답하지 않는다.

나는 두 팔을 바람개비처럼 돌리며

펄쩍펄쩍 뛰었다.

그러나 도무지 반응이 없다.

입구에 있는 신입사원의 시선이

내 몸을 뚫고 지나간다.

내가 보이지 않는 것인가?

그러고 보니

내 아내도 나를 보지 못하는 것 같다.

이름을 불러도 귀를 후빌 뿐이다.

그들은 처음 회사에 들어왔을 때

반갑게 웃으며 등을 두드려 주었다.

그러나 시간이 흐르고
온갖 더러운 것에 익숙해지자
나는 그저 돌아다니는
공기 같은 것이 되었다.

나에겐 아직 기억이 남아있다.
높은 산을 종주하며 크게 외치고
술에 취해 도심을 누비며 호기를 부리고
정의를 논하며 절대 양심을 버리지 않겠다고
큰소리쳤다.

그러나 아무도 나를 보지 못하므로
나의 과거는 지워지고
나는 현실을 추종하는 유령이 되었다.

머리가 희끗희끗 반백이 되었을 때

나는 점점 그들이 되고

기억에서도 내가 희미해진다.

이제 나도 내 얼굴을 알 수 없다.

이리저리 전화해도 나를 기억하는 사람은 없다.

나는 누구인가?

망각의 길

그를 만난 건 참 오랜만이다.
마주칠 때마다 부끄러워
먼발치에서 보던 기억.
그는 그냥 웃기만 하고
사랑한다는 말은 하지 않는다.

너무 반가워 다가가고 싶었지만
웃기만 하고, 손을 흔들며
먼길을 떠난다.

그가 떠난 길 뒤로 휑하니 바람이 분다.
사람들이 멈추고 차들이 정지하는 것을 보니
그의 마지막 모습이었음을 알겠다.
정지된 시간 속 그의 모습은 사진처럼
영원히 각인되겠지.

먼 훗날 그의 소식을 듣고
그가 망각의 길을 걷고 있음을 알았다.
사람들 사이,
슬픔과 기쁨 사이를 지나며 바람처럼
天空을 향해 갔음을 알았다.

그 길은 조용한 침묵의 길
사랑한다는 말 한마디 하지 못하고
마음을 외면하며
바람처럼 사이사이를 걸을 뿐이다.

꽃이 핀다

꽃이 핀다.
자욱한 안개를 뚫고
때로는 깊은 어둠 속에서
햇빛 하나 없어도 기어코 꽃은 핀다.

사진을 찍는다.
꽃의 이름을 찾아보고
어디 가야 꽃을 많이 볼 수 있는지
땅과 나무에게 묻는다.

그들은 나에게 조그만 오솔길을 알려준다.
햇볕에 갓 마른 빨래 냄새가 그윽하고
바람이 솜털을 간질이며 솔솔 부는 곳이다.

나는 오솔길을 따라 죽을 때까지 걷지만
꽃은 볼 수 없었다.

길에는 덜 자란 나무들이 줄지어 서 있고
다투는 짐승들 소리가 요란하다.

얼마나 먼 길을 걸었을까?
해가 지고
피곤에 겨워 눈을 감으니
비로소 꽃이 보인다.

나비 한 마리가
꽃술에 앉아 말한다.
꽃은 보는 것이 아니야.
나는 고개를 끄덕이며 활짝 웃었다.

나는 욕심을 내려놓고
들판에 누워 눈을 감는다.
꽃의 빛깔과 향기가 흐드러지고
생각은 벌 나비처럼 자유로우니
비로소 꽃이 활짝 핀다.

꽃은 마음에 있는 것이다.

나를 선택하지 말아요

정원 식탁에 포도주 향기가 감돌고
하늘에 하나둘씩 별이 떠오를 무렵이었어요.
사람들의 얼굴은 술에 취해 빨갛게 물들었죠.
나는 마음을 풀어놓고 한껏 즐겼어요.
맛있는 음식과 아름다운 사람이 넘치고
라틴 음악과 파도 소리가 은은하게 들리는 곳.
생활에 찌든 나에게 그곳은 천국이었어요.
분위기에 취해 바보같이 웃고 있을 때
한 남자가 다가왔어요.
그는 나에게 무릎을 꿇고 장미 다발을 내밀었어요.
그는 훈훈한 미소와 호감을 주는 눈빛을 갖고 있었고
부드러운 목소리는 사람들을 매료시켰어요.

그는 나에게 말했어요.

이 수많은 사람 중에 오직 당신을 선택했으니

이 꽃을 받아주세요.

나는 그의 별빛 닮은 맑은 눈빛에 취해

그의 사랑을 받아들였어요.

그러나 그는 별이 사라질 무렵 어둠처럼 사라졌어요.

어디로 갔는지 알 수 없어요.

그는 나를 선택했을 뿐 아무것도 남기지 않았어요.

나는 그저 울 뿐이에요.

바닷가 암벽 위에서 하염없이

먼바다를 바라보고 있어요.

파도는 쉴 새 없이 바위를 두드리며

나에게 손을 내밀었어요.

장미 아가씨

내가 너를 선택했으니 나에게 오라!

나는 깊은 바다를 보았어요.

한없이 깊은 평화와 안식이 있을 것 같았어요.

하지만 뛰어들지 않았어요.

이제는 내가 선택하게 해주세요.

내 사랑은 내가 선택할 거예요.

새벽길

새벽길 도로 위에
전조등 불빛이 창처럼 길게 뻗는다.
멀리 흐릿하게 태양이 올라온다.
주황빛이 서서히 피어오르지만
아직 까마득하다.
내 뒤에서 검은 어둠이 손을 내밀어
목덜미를 더듬고 있다.
나는 어둠에 쫓기며 솟아오르는 빛을 향해
질주하는 것이다.
밝게 웃으며 악수를 청하던 세상들아!
너희들의 손은 얼음장처럼 차가웠으니
나는 심장까지 얼어붙을 뻔했다.
이른 새벽, 잠에 취한 채
달려가는 이유는
멀리 보이는 빛더미 속에 행여 남아있는
희망을 찾으려 함이다.

이명

그는 예고 없이 병상에 누워
내 곁을 떠났다.
나는 눈과 귀를 막고 믿을 수 없다고 소리쳤다.

갑자기 이상한 소리가 들렸다.
사람들에게 소리를 들었는지 물어보았지만
모두 고개를 저었다.
그러나 내 귀에 계속 들렸다.
점점 커지고 분명해지는 것이
한 번도 들어본 적 없는 기이한 소리였다.
번갯불이 귀를 뚫고 지나가는 것 같기도 했고
쥐가 찍찍거리는 소리 같기도 했다.
죽어가는 고양이의 앓는 소리 같기도 했다.
귀이개로 귀를 후벼도 소리는 끊이지 않았다.

소리를 듣지 않으려고 텔레비전을 켰다.
음악 소리에 맞춰
손뼉을 치고 깔깔대며 유난을 떨었지만
이상한 소리는 계속 들렸다.

그때 아래층 사람이 올라와
볼륨을 줄이라고 소리쳤다.
나는 깜짝 놀라 입을 다물었다.
텔레비전 소리는 아주 작았는데
저 사람은 어떻게 들었을까?

나는 텔레비전을 끄고 침대에 누웠다.
컴컴한 침묵 속에서
알 수 없는 소리가 메아리치니
깊은 동굴에 있는 듯했다.

의사는 이명은 불편한 것일 뿐이니

받아들이도록 노력하라고 한다   .

그러나 나는 도저히 받아들일 수가 없었다.

그렇다면 그가 내 곁을 떠난 것을 받아들여야 한다.

나는 한숨을 쉬었지만 한숨 소리는 들리지 않았다.

그저 삑삑 소리만 들렸다.

나는 귀를 막고

그를 찾아 세상을 떠돌았다.

험지와 풍파는 상관이 없다.

구름처럼 바람처럼 돌아다니며

나무 겨드랑이를 간질이기도 하고

하늘처럼 울음을 터뜨리기도 했다.

해와 별이 자리를 바꿀 때마다

아름다움이 터진다.

바람이 가져오는 향기, 따뜻한 기억들.
아무것도 듣지 못하니 보이지 않던 것이 보인다.
아, 얼마나 아름다운가!

그는 멀리 있지 않고 늘 가까이 있었다.
항상 곁에 있는데 내가 보지 못한 것이다.
아름다운 것들은 소리가 되어 내 귀에 꽂혔다.
이명은 내 안의 소리다.

어부와 마왕

폭풍과 사나운 파도가 몰아치던 날

어부는 목숨을 걸고 바다로 나가 그물을 던집니다.

아이들과 아내가 굶는 것을 볼 수 없기 때문입니다.

수십 차례 던진 후 호리병을 하나 건졌습니다.

세 개의 큰 보석이 박혀있는 값비싼 호리병입니다.

어부는 서둘러 호리병 뚜껑을 열었습니다.

순간 뭉게구름이 피어오르더니

무시무시한 마왕이 나타났습니다.

마왕은 사나운 눈초리로 어부를 쏘아보았고

어부는 벌벌 떨었습니다.

마왕은 크게 고함을 쳤습니다.

나는 너를 죽일 것이다.

어부는 깜짝 놀라 말했습니다.

마왕이시여. 나는 당신을 구했는데 왜 나를 죽이려 하십니까?

마왕은 코웃음을 쳤습니다.

나는 호리병에 갇힌 후에 맹세했다.

나를 구하면 세상의 제일 부자로 만들어 주겠노라고.

그러나 천년이 지나도록 아무도 나를 구하지 않았다.

나는 다시 맹세했다.

나를 구해주면 세상 제일의 부와 권력을 주겠노라고.

그러나 천년이 지나도록 아무도 나를 구하지 않았다.

그래서 다시 맹세했다.

나를 구하는 사람이 있으면 세상의 부와 권력 그리고 가장 아름다운 미녀를 주겠노라고.

그러나 천년이 지나도록 아무도 나를 구하지 않았다.

그래서 나는 이번에 나를 구하는 사람은 죽이기로 맹세를 한 것이다.

어부는 얼굴이 창백해졌습니다.

마왕이여 너무하십니다.

마왕은 차갑게 웃으며 말했습니다.

기다림이란 그런 것이다.

인간의 1일은 고양이에게 4일

"삑삑." 알람 소리가 고막을 두드렸다. 나는 벌떡 일어나 시계를 보았다. 6시다. 일어나려고 버둥거리다가 다시 털썩 드러누웠다. 빨리 도서관에 가야 하는데 몸이 말을 듣지 않는다. 나는 핸드폰의 알람을 끄고 멍하니 허공을 바라보았다. 오늘은 사실 가장 친한 친구의 결혼식이다. 따라서 도서관이 아니라 친구의 결혼식에 가야 한다. 나는 물끄러미 핸드폰에 찍힌 청첩장을 바라보았다.

꽤 비싼 곳에서 결혼하는구나. 음식도 맛있다고 하던데. 하지만 나는 백수다. 친구들은 다 취직해서 뻐기고 있을 텐데 축의금 낼 돈이 없다. 축의금도 없이 얼굴을 내민다면 친구들이 어떻게 생각할까! 진한 수치심이 들었다. 누운 채로 전화를 걸었다.

"어머니! 혹시 10만 원만 보내줄 수 있어요?"

"생활비 보낸 지가 얼마나 되었다고 벌써 돈이냐?"

"점호 알죠? 걔가 결혼한대요. 축의금을 보내야 하

는데 돈이 없어서요."

"돈이 없으면 못 보내는 거지, 부모한테 타서 보내는 것이 축의금이냐?"

"하지만…."

"축의금이고 뭐고 취직은 어떻게 된 거냐? 아무 보장 없이 언제까지 생활비를 보낼 수는 없다."

가만히 한숨을 쉬었다. 괜히 전화했다는 후회로 가슴이 아려온다. 어머니의 관심사는 오직 취업과 결혼에 관한 것이다. 자식의 마음은 아랑곳하지 않는다.

"금방 될 거예요. 이만 끊어요."

"얘, 석민아! 석민아!"

조금 더 잠을 자려고 했으나 어머니의 잔소리를 들은 후 정신이 말똥말똥해져서 쉽게 눈이 감기지 않았다. 이리저리 몸을 뒤척거리기도 하고 죽은 듯 가만히 있기도 했다. 그러나 잠이 오지 않기는 마찬가지였다. 창문에 두꺼운 커튼을 쳐 놓았기 때문에 방안은 깜깜했다. 창밖은 어떨까? 환하게 밝혀져 있을지도 모른다. 그러나 굳이 확인하고 싶지는 않았다. 어느 쪽이 방문이었지? 방향감각을 잃어 누운 채로 몸을 뱅뱅 돌렸다.

‘어두운 곳에서는 밝은 곳이 잘 보인다. 잘 보려면 어둠 속에 있어야 한다.’

책에서 읽었던 문구다. 그러나 사방이 다 어둠뿐이라면 다를 것이 없다. 시간이 흐를수록 점점 어둠 속으로 밀려갈 뿐이다. 그 책은 엉터리다.

그때 어디선가 고양이 울음소리가 들렸다. 애처롭게 울부짖는 게 도와달라고 하는 것 같았다. 금방 지나갈 거로 생각했으나 고양이 울음소리는 계속 이어졌다.

"이래서 1층에 사는 게 아니었어."

나는 투덜거리며 이불을 뒤집어썼다. 그러나 소리는 이불을 들쑤시며 집요하게 고막을 파고들었다. 머릿속에서 벌레가 스멀스멀 기어 다니는 것 같아서 두 손으로 머리를 꽉 눌렀다.

"도대체 벽을 어떻게 만든 거야? 1층에는 방음 장치를 해준다고 했는데 왜 온갖 소음이 다 들어오는 거야?"

하지만 혼자 떠든다고 달라지는 것은 없다. 머리를 힘껏 누르고 있는 탓에 어질어질 현기증이 났고 머리로 피가 몰려 뇌가 터질 것 같았다.

"과민 반응이야. 헛소리가 들리는 거야."

나는 주문을 외우듯 중얼거렸으나 울음소리는 점점 커졌다. 고양이가 바로 옆에 있는 것 같았다. 숨이 거칠어지고 인내에 한계가 왔다.

"이놈의 고양이!"

더 이상 참지 못하고 고양이를 향해 휘두르기라도 할 듯 야구방망이를 들고 밖으로 나갔다. 차가운 공기가 옷깃을 파고들었다. 으스스 떨며 고양이 울음소리가 들리는 곳을 바라보았다. 희한한 일이다. 방 안에서는 그렇게 크게 들리던 울음소리가 이제는 거의 들리지 않았다.

고양이는 화단 잡초 틈에 파묻혀서 몸을 휴지처럼 돌돌 말고 있었다. 나는 고양이 앞에 쪼그려 앉아 가만히 들여다보았다. 고양이는 앞발로 얼굴을 꼭 감싸고 미동도 하지 않았다. 검정 털 뭉치가 두 손에 담길 만큼 작은 고양이었다. 그 애처로운 모습에 쫓아내려던 마음이 싹 사라져버렸다. 어떻게 할까? 주저하는 사이, 고양이는 더 이상 소리를 내지 않았다.

죽은 것일까? 돌연 차가운 바람이 마른 낙엽 더미를 말아 얼굴을 때렸다. 어제까지 반소매 옷을 입었는데 갑자기 한파가 몰아친다. 종잡을 수 없는 변덕스러움.

세상살이와 조금도 다르지 않다. 나는 두 손으로 몸을 감쌌다. 온몸에 소름이 돋고 얼굴이 뻣뻣해지는 것이 영하의 날씨임이 틀림없다.

이런 날씨에 이미 죽었겠지. 나는 손을 털고 일어나려 했다. 그런데 고양이의 배가 조금 움직인다. 잘못 보았을까? 나는 얼굴을 가까이 대고 살펴보았다. 작고 하얀 배가 풍선처럼 부풀어 올랐다 꺼지는 것이 보였다. 자세히 보지 않으면 알아채지 못할 만큼 미세한 움직임이다. 분명히 숨을 쉬고 있다. 살아있다. 나는 고민에 빠졌다. 그냥 버리고 갈까? 그러면 죽을 텐데. 그렇다고 데리고 가면 키워야 한다. 사룟값이 많이 든다고 하던데 내 처지에 잘 기를 수 있을까?   순간 고양이가 입을 살짝 벌리며 길게 숨을 내쉬었다. 마지막 숨을 내쉬듯. 나는 혀를 차며 고양이를 품에 안고 집으로 들어왔다. 고양이가 나의 처지와 비슷하다는 생각이 들었다. 추위와 배고픔에 죽을 지경인데 아무도 돌봐주지 않는다. 황량한 바닥에 내팽개쳐진 채 살려달라고 외치지만 세상은 그저 구경만 할 뿐이다.

나는 고양이를 담요로 감싸고 마사지해주었다. 움직임이 없어 포기할라치면 놀리듯 다시 숨을 쉰다. 혀를 차면서도 어쩔 수 없이 다시 마사지를 시작했다. 한 시간 정도 지나자 기운을 차렸는지 '애앵' 울음소리를 냈다. 대단한 일을 한 것처럼 내 얼굴에 웃음이 감돌았다.

나는 재빨리 밖으로 나가 누군가 길고양이 먹으라고 놓아둔 사료를 퍼왔다. 추위에 딱딱하게 굳어있었지만 물을 부어 부드럽게 만든 후 수저로 퍼서 고양이에게 내밀었다. 꼼짝하지 않던 고양이는 조금씩 혀로 핥아 먹다가 이윽고 일어나서 먹기 시작했다. 얼마나 굶었는지 배가 푹 꺼져있었다. 비틀거리며 가느다란 앞다리를 움직이는 것이 애처로워 나지막이 한숨을 쉬었다. 그리고 보니 나의 팔도 고양이처럼 가느다랗다.

"닮았구나."

나는 그 외에도 닮은 점이 있는지 찾으려고 고양이의 구석구석을 자세히 살펴보았다. 순간 고양이와 눈이 딱 마주쳤다. 고양이는 어느새 밥을 다 먹고 빤히 나를 쳐다보고 있었다. 그런데 콧물이 줄줄 흐르고 있다. 나는 다시 고민에 빠졌다. 병원에 데리고 가야 하나? 돈이 별로 없다. 하지만 어쩔 수 없지 않은가? 나는 빈 박스에 담아 고양이 병원으로 갔다. 다행히 병원에서는 별 이상이 없이 아주 건강하다고 했다. 태어난 지 2개월 정도고 몸이 깨끗한 것으로 보아 누군가 키우다 버린 것 같다고 했다. 왈칵 눈물이 쏟아졌다. 버림받은 것이구나.

고양이가 집에 들어온 지 3일이 지났다. 처음에는 낯을 가리는가 싶더니 몇 번 밥을 얻어먹자 제집처럼 돌아다녔다. 하지만 고양이 모래와 사료, 장난감 등을 사느라 돈이 금방 줄어들었다. 고양이는 나의 걱정을 아는지 모르는지 이제는 다리에 달라붙고 배 위에도 올라와 골골거렸다. 때로는 바닥에서 몸을 뒤집으며 애교를 부리기도 하고 수시로 몸을 비비며 관심을 애걸하기도 했다. 확실히 붙임성이 있다. 덕분에 사막처럼 메말랐던 방 안에 활기가 돌았다. 좋은 일이다. 돈만 있으면.

5일째. 나는 도서관으로 갔다. 어쨌든, 어머니에게 생활비를 타려면 공부하는 척이라도 해야 한다. 멀리 구석 자리에 인규가 보였다. 그곳은 햇살이 비스듬히 들어오는 명당자리였다. 노리는 사람이 많은데 얼마나 일찍 오는지 한 번도 그 자리를 놓치는 법이 없었다.
나는 슬며시 그의 옆자리에 앉았다. 그곳 또한, 거의
잡기 어려운 자리였는데 웬일인지 그날따라 비어 있었
다. 그는 무심한 눈으로 쳐다보며 물었다.

"오랜만이네. 무슨 일 있었어?"

"그런 일 있었어."

나는 가방에서 책들을 꺼내며 무뚝뚝하게 대답했다.
그는 고등학교 동창이다. 그도 실업자이긴 하지만 나
와는 격이 다르다. 그는 행정고시를 준비하는 중이다.
나처럼 9급 공무원이나 입사 시험 준비를 하는 것이
아니다. 다른 세상에 있는 친구다.

그는 바로 고개를 돌리고 책에 집중했다. 나도 그를
따라서 책상에 머리를 파묻었다. 하지만 쉽게 집중이
되지 않았다. 점심때까지 공부하는 둥 마는 둥 버티고
앉아있었지만, 잡생각이 머리에서 떠나지 않았다. 고양
이가 걱정되기도 했다. 결국 책을 챙겨 가방에 욱여넣
고 자리에서 일어나고 말았다. 허탈한 심정. 이렇게 집
중력이 없어서 무슨 공부를 한단 말인가!

나는 맥이 빠져 도서관에서 나왔다. 어깨를 늘어뜨

리고 거리를 걸었다. 갑자기 고양이가 보고 싶었다. 그런데 이상한 일이 일어났다. 세상이 빙빙 돌며, 주변의 사람들이 슬로우 모션으로 움직이는 것이다. 거리가 연기나 안개가 낀 것처럼 희뿌옇게 변하고 하늘이 납빛으로 뒤덮였다. 약간의 현기증도 느껴졌다. 눈앞에서 수십 마리의 괴물들이 괴성을 지르며 뛰어다니는 것 같았다. 나는 무서워 고개를 숙였다. 짐승들 발밑으로 가로로 길게 누워있는 회색빛 도로가 보였다. 나는 그 위를 걷고 있었다.

순간 요란하게 자동차의 경적이 들렸다. 깜짝 놀라 주춤하는 나의 시야에 당황한 트럭 운전사의 얼굴이 보였다. 운전사는 길게 클랙슨을 누르며 급브레이크를 밟았다. 나는 피할 생각도 못 하고 가만히 서 있었다. 그때 누군가가 나를 뒤로 휙 잡아당겼다. 인규였다.

'끼이익!' 급정거 소리와 함께 트럭은 내가 서 있던 곳을 조금 지나 간신히 멈췄다. 친구가 없었다면 그대로 죽을 뻔했다. 이어서 트럭 운전사의 거친 욕설이 들려왔다. 그는 운전석에서 내려 삿대질하며 차마 듣지 못할 쌍욕을 해댔다. 인규가 대신 앞으로 나서서 정중하게 사과했다. 운전사는 인규를 힐끗 보더니 투

덜대며 차를 몰고 어디론가 사라졌다. 인규는 도리질하며 말했다.

"뭐 하는 거야? 차가 오는데."

나는 잠시 달려가는 트럭을 바라보았다. 그런데 아무런 감흥이 없었다. 죽을 뻔했으니 놀라서 심장이 벌렁거리고 손발이 덜덜 떨려야 정상이다. 하지만 나와는 상관없는 다른 세상에서 일어난 일 같았다. 나는 씩 웃으며 대답했다.

"딴생각하고 있었어. 그런데 너는 어쩐 일이야?"

"어쩐 일이긴. 밥 먹으러 나왔지. 정신 좀 차려. 너는 지금 죽을 뻔했어."

"그까짓 거 뭐. 어쨌든 고맙다."

"밥은 먹었어? 가자. 내가 살게."

"괜찮아, 약속이 있어."

인규는 묘한 표정으로 나를 바라보다가 두말하지 않고 휙 돌아섰다. 나는 심술궂게 얼굴을 일그러뜨리고 있었는데 아무래도 그것이 인규의 기분을 상하게 한 것 같았다. 나는 침을 꼴깍 삼켰다. 사실은 아침도 먹지 못해 허리가 끊어질 듯 배가 몹시 고팠다. 억지로라도 끌고 갔으면 못 이기는 채 따라갔을 텐데.

나는 허리띠를 졸라맨 후 집으로 돌아왔다. 고양이가 기다렸다는 듯 야옹하며 다리에 몸을 비볐다. 머리를 쓰다듬자 고양이는 떼굴떼굴 구르다 발랑 눕는다. 너무 귀여워 고양이의 배를 간질였다. 순간 고양이는 나의 손등을 꽉 깨물었다. 이빨 자국 따라 부풀어 오르는 생채기. 빨갛게 변하며 은은히 피가 배었고 통증이 이어졌다.

"이놈의 새끼가!"

나는 화를 참지 못하고 고양이를 걷어찼다. 고양이는 외마디 비명을 지르며 달아났다. 그러나 멀리 가지 않고 문틈 사이로 가만히 나를 지켜보고 있었다. 미안한 마음이 들어 손짓하자 바로 다가와 "야옹"하고 한 번 울고는 옆에 털썩 드러누웠다. 넉살도 좋다. '골골' 소리를 내며 다리에 몸을 비비는 폼이 만져달라는 신호다. 하지만 나는 아직 화가 풀리지 않아 고개를 돌려 외면했다. 그러자 고양이는 벌떡 일어나 거실로 간다. 자기 뜻대로 하지 않았으니 이제 이별하겠다는 태도다. 그럴 때는 꼭 여자 친구 같다. 젠장, 이놈의 고양이. 얼어 죽을 것을 구해주었더니 이제는 나를 무시

하네.

어느새 자정이 되었다. 쉽게 잠이 오지 않아 오랫동
안 뒤척였다. 텔레비전을 켰다가 잠이 오는 듯싶으면
끄기를 되풀이했다. 그러나 컴컴한 어둠이 덮이면 다
시 정신이 말똥말똥해진다. 미칠 것 같다. 불면증이라
도 생긴 것인가? 어찌어찌하다가 잠이 든 듯하다.

그런데 낯선 인기척이 났다. 얕은 잠이 들었기 때문
에 작은 소리에도 민감하다. 나는 몸을 움직이지 않은
채 살짝 눈을 떴다. 천정에 희미한 달빛 조명이 은은
히 감돌고 있었다. 시계를 보았다. 어스름한 어둠 속에
보이는 시곗바늘은 새벽 3시를 가리키고 있었다. 새벽
3시는 유령이 가장 활발하게 활동하는 시간이라는데.
덜컥 겁이 나 죽은 듯 가만히 있었다. 그런데 잠시 조
용한가 싶더니 갑자기 우당탕, 큰 소리가 들렸다.

나는 참을 수 없어 거실로 나갔다. 무언가 검은 물
체가 빠른 속도로 허벅지를 차고 지나갔다. 깜짝 놀란
나는 그대로 주저앉았다. 구석에서 눈 두 개가 번뜩거
리고 있었다. 소름이 끼치며 머리카락이 쭈뼛 섰다. 비
몽사몽 간에 머릿속에서 온갖 무서운 상상이 떠올랐

다.

순간 야옹 소리가 들렸다. 나는 "휴!"하고 안도의 한숨을 내쉬며 가슴을 쓰다듬었다. 고양이구나. 고양이를 까맣게 잊고 있다니! 잠을 자야 할 시간에 뛰어다니는 것은 뭐람? 그러나 다시 생각해보면 당연한 일이다. 고양이와 인간과는 활동하는 시간이 다르지 않은가? 나는 졸린 눈으로 원기 왕성하게 뛰어다니는 고양이를 바라보았다. 다시 말하지만, 지금은 새벽 세 시다. 만약 위층 집이었다면 층간소음으로 항의를 받았을 수도 있었다.

그래. 나는 인간이고 너는 고양이다. 다른 점이 많겠지. 그런데 막연히 다르다고만 생각했지 얼마나 다른지는 알지 못한다. 정확히 알지도 못하면서 그저 다르다고 단정하는 것은 옳지 않다.

갑자기 고양이의 일상이 궁금해졌다. 일단 호기심이 발동하자 잠시도 머뭇거릴 수가 없었다. 즉시 노트북을 들고 소파에 앉아 고양이를 관찰했다. 밥 먹을 때와 화장실 갈 때를 제외하고 꼼짝하지 않고 고양이를 지켜보며 그의 행동을 기록했다. 깜빡 졸기라도 해서 고양이의 행동을 놓치면 처음부터 다시 시작했다. 노트북에는 차곡차곡 고양이의 기록이 쌓여갔다.

고양이는 밤 11시를 기준으로 하자면 11시부터 2시 30분까지 잠을 잤다. 다만 잠을 자는 곳은 거실, 안방, 현관 등으로 일정치 않았는데, 대부분은 내 옆에 바짝 붙어서 잠을 잤다. 잠에서 깨어나면 물끄러미 나를 바라보다가 내가 아무런 반응을 보이지 않으면 그루밍을 했다. 그리고 순찰하듯 이곳저곳 돌아다니다가 밥을 먹고 마구 집 안을 뛰어다녔다. 시간에 맞춰 고양이 장난감으로 놀아주어야 하는데, 만약 놀아주지 않으면 징징대며 쫓아다녔다. 한참 놀고 나면 똥을 싸고 이불에 눕거나 고양이 타워에 올라가 쉬다가 다시 밥을 먹는다. 그러면 대강 6시간이 지나고, 그때 또 잠을 자기 시작한다. 그리고 똑같은 행동을 반복한다.

즉 잠자기 3시간 30분 → 그루밍 30분 → 순찰 10분 → 놀기 40분 → 식사 10분 → 휴식 1시간으로 대략 6시간이다. 그리고 이 여섯 가지의 일을 무한 반복하는 것이다. 그렇다면 이 6시간이 고양이의 하루이다. 인간은 하루를 24시간으로 정해놓고 비슷한 행위를 무한 반복한다. 그렇게 보면 인간의 1일은 고양이의 4일이다.

그런데 이 짧은 시간을 고양이는 어떤 불만도 없이 행복하게 보낸다. 초조해하지도 않고 항상 느긋하고 편안한 모습이다. 어찌 저렇게 여유가 있을까? 아무리 불편하고 힘들어도 금방 적응한다. 스트레스라는 것은 전혀 없는 것 같다. 혹시 고양이가 평온한 것은 이 짧은 하루에 비밀이 있는 것이 아닐까?

한 달이 지났다. 나는 고양이 낚싯대로 사냥놀이를 거들어주고 있었다. 잡힐 듯 말 듯 이리저리 움직이며 낚싯대를 뱅뱅 돌렸다. 고양이는 낚싯대 끝에 매달린 쥐를 잡기 위해 전속력으로 달리다가 점프했다. 그러나 나는 쉽게 잡혀줄 생각이 없다. 낚싯대를 빠르게 들어 올리자 허탕을 친 고양이는 길게 울음소리를 냈다.

귀여운 녀석. 나는 잠깐 딴생각하느라 낚싯대를 가만히 들고만 있었다. 순간 고양이가 발뒤꿈치를 깨물었다. 나는 깜짝 놀라 펄쩍 뛰었다. 제대로 낚싯대를 움직여주지 않으니 화를 내는 것이다. 버릇없는 놈. 나는 뒤꿈치를 어루만지다가 다시 낚싯대를 뱅뱅 돌렸다. 고양이는 미안함도 느끼지 않는지 태연한 얼굴로 다시 사냥놀이를 시작했다.

나는 뒤꿈치가 아파 이맛살을 찌푸리다가 문득 고양이처럼 살아보고 싶다는 생각이 들었다. 고양이를 따라 해볼까? 그러면 나도 고양이처럼 편안해지지 않을까? 하루는 너무 길다. 고양이처럼 하루를 4개로 쪼개서 살아보자. 사람의 행동이 항상 우월한 것은 아니다. 때로는 짐승의 행동에서도 배워야 할 것이 있다.

나는 고양이처럼 하루에 4번씩 잠을 자고 밥도 4번씩 먹었다. 휴식 시간, 노는 시간도 고양이와 똑같이 움직였다. 물론 처음에는 적응하기가 힘들었다. 특히 잠자는 시간을 조절하기가 쉽지 않았다. 고양이는 딱 3시간에서 4시간 정도 자고 일어나는데 보통 인간은 한 번에 7시간에서 8시간을 자야 하는 것이다. 고양이처럼 자려면 짧게 자고 일어나는 연습을 해야 한다. 그러자면 깊이 잠들면 안 된다. 나는 얕은 잠을 자는 훈련을 했다.

그러자 몸에 놀라운 변화가 일어났다. 처음에는 견딜 수 없이 피곤했지만 반복해서 훈련하자 피곤하지도 않았고 항상 긴장된 상태를 유지할 수 있었다. 잠을 조금 자는 듯했지만, 인간의 하루로 계산하면 총 14시간 정도 자는 것이므로 절대 부족하지 않다. 고양이와 수면시간을 맞추자 그 외의 시간은 별로 어렵지 않았다. 휴식 시간은 책을 읽거나 텔레비전을 보면 된다.

고양이처럼 살기로 한 후 의외로 시간이 빨리 지나갔다. 하루가 4일이 되니 시간이 더디 가는 것이 아닐까 하는 생각은 기우였다. 순간순간이 빨라지니 지루할 틈이 없었다. 모든 일상을 시간이 지배하는 것 같았고 나는 시곗바늘처럼 멈춤 없이 빠르게 움직였다. 권태롭지 않으냐고? 그렇지 않다. 인간은 아주 적응력이 강한 동물이다. 아무리 힘든 일도 금방 적응한다. 처음이 어려울 뿐이다.

이제 두 달이 지났다. 도서관은 나가지 않은 지 오래됐다. 돈이 없으니 밖으로 나가기가 두려웠다. 친구들한테 만나자고 연락이 와도 온갖 핑계를 만들어 거절했다. 점차 사회와 격리되고 대부분 시간을 고양이와 함께 보냈다.

고양이와 함께할수록 고양이는 매력 있는 동물이라

는 것을 깨달았다. 특히 고양이와 생활 방식을 맞추자 더욱 고양이를 이해하게 되었다. 고양이처럼 짧게 끊어서 생활하니 쓸데없이 고민하던 습관이 사라졌다. 밥을 먹고 나면 바로 잠잘 시간이 왔고 잠시 공부하면 벌써 식사 시간이 되었다. 그러다 보니 책도 빨리 읽어야 하고 휴식도 최대한 효율적으로 해야 한다.

그러나 점점 시간의 흐름이 왜곡되기 시작했다. 눈을 뜨고 잠깐 있었던 것 같은데 어느새 밤이 되었고, 잠깐 잠이 든 것 같은데 어느새 환한 햇살이 창을 뚫고 들어왔다. 시간이 흐르는 것이 전혀 체감되지 않았다. 벽걸이 시계는 무의미한 도구가 되었다. 나의 일상과 하나도 맞지 않으니 장난감에 불과했다.

석 달이 지났다. 그동안 내가 외출한 건 머리를 자를 때뿐이었다. 밥을 할 시간이 없어서 생라면을 과자처럼 씹어 먹거나 배달 음식을 시켜 먹었다. 먹고 남은 음식은 썩은 냄새가 날 때까지 내버려 두었다. 창문을 잘 열어놓지 않아 한 번 시작된 악취는 쉽게 사라지지 않았다.

고양이는 어두운 곳에 숨어있는 것을 좋아했다. 자

주 옷장 속이나 책상 밑에 들어가 빤히 나를 보았다. 나는 그 행동이 궁금해 고양이처럼 옷장 속에 숨어 바깥을 바라보았다. 그러자 놀라운 일이 벌어졌다. 잘 보이지 않던 집 안 구석구석의 사물들이 너무도 확연히 잘 보이는 것이다. 바닥에 떨어진 젓가락 한 개, 휴짓조각, 심지어는 잃어버린 줄 알았던 커플 반지까지 보였다. 그 반지를 잃어버려 옛 여자 친구에게 얼마나 잔소리를 들었던가? 나는 슬며시 웃었다.

'어두운 곳에서 밝은 곳이 잘 보인다. 잘 보려면 어둠 속에 있어야 한다.'

엉터리라고 생각했던 문구가 다시 가슴에 와닿았다. 어두운 곳에서 밝은 곳이 잘 보이는 것은 간단한 진리다. 가끔 화려한 권력과 부를 뒤로하고 어두운 곳에 숨어서 세상을 바라봐야 한다. 그래야 욕심에 빠지지 않고 올바른 행동을 할 수 있다. 가난한 자가 있는 곳이 어두운 곳이라면 부자들이 있는 곳은 밝은 곳이다. 그러므로 가난한 자들은 부자들의 행위를 잘 볼 수 있다. 그들이 쉽게 하는 행동들이 어떻게 상처를 주는지, 어떻게 세상을 어지럽히는지 말이다. 그렇게 생각하자 나는 옷장에서 나오고 싶지 않았다. 밝은 곳을 동경하지만 밝은 곳으로 나가고 싶지 않았다. 나는 고양이처럼 어둠 속에서 가만히 밝은 곳을 응시했다.

어느 날 어머니에게서 전화가 왔다.

"잘 지내고 있지? 제대로 챙겨 먹기는 하니?"

"그럼요. 걱정하지 않아도 돼요."

"공부하기는 하는 거냐? 통 소식이 없으니. 돈은 충분히 있어?"

나는 멈칫했다. 돈은 있느냐? 라는 질문에 말문이 꽉 막혀 버렸다. 사실 돈이 거의 떨어졌다. 하지만 돈이 없다는 말은 쉽게 나오지 않았다. 어머니는 내가 머뭇거리자 바로 말했다.

"돈이 없지? 내 그럴 줄 알았다. 그러면 뭘 먹고 지낸 거야?"

"아니에요. 잘 먹고 있어요. 누가 들으면 굶고 있는지 알겠어요."

하지만 눈치 빠른 어머니가 그냥 넘어갈 리 없었다.

"닥쳐! 못난 놈. 그러게 내가 집에서 공부하라고 했지. 쓸데없이 나가 살겠다고 고집을 부리더니 쯧쯧. 내가 조만간 들를 테니까 그리 알고 있어."

나는 깊게 한숨을 쉬었다. 또 지겨운 잔소리를 들어야겠구나. 그러나 한편으로는 잘 됐다고 생각했다. 돈이 생긴다는 말이니까.

며칠 후 어머니가 찾아왔다. 어머니는 문을 열자마자 코를 막았다. 여기저기 널려있는 쓰레기, 싱크대에 그냥 처박혀있는 음식 찌꺼기, 집 안 구석구석에서 피어오르는 악취에 헛구역질했다. 나는 어머니를 보고 고양이처럼 움찔했다. 나는 잠옷 차림에 며칠 동안 세수도 안 한 모습이었다.

"아우, 이게 무슨 냄새야."

어머니는 바로 창문을 활짝 열었다. 그러나 나는 쫓아가 창문을 닫으며 어머니를 만류했다.

"안 돼요. 고양이가 있어요."

"뭐라고?"

깜짝 놀라서 뒷걸음치는 어머니. 그때 고양이가 야옹 소리를 내며 나타났다. 어머니는 호들갑을 떨며 소리를 질렀다.

"뭐야? 나 고양이 알레르기 있는 거 몰라?"

어머니는 고양이를 들어 밖으로 던지려고 하였다.

그러자 고양이는 꼬리를 늘어뜨리고 어머니의 손을 깨물었다. "어마!" 어머니는 비명을 지르며 고양이를 떨어트렸다. 손등의 생채기가 금방 빨갛게 부풀어 올랐다. 어머니는 고래고래 소리를 지르며 고양이를 잡으려 하였지만, 고양이는 높은 책장 위로 후다닥 올라가 버렸다. 어머니가 화를 참지 못하고 밀대를 들어 고양이를 찌르려 하자 나는 재빨리 어머니의 팔을 잡고 말했다.

"그만두세요. 제 고양이에요."

"그래서 고양이만 눈에 보이고 나는 안중에도 없냐?"

"그게 아니라 어머니는 가끔 오시는 거고 고양이는 나하고 함께 사는 거예요. 내쫓을 수 없다고요."

어머니의 표정이 일그러졌다.

"뭐라고? 그러니까 나는 가끔 오는 이웃에 불과하다는 거야?"

"그런 소리가 아니잖아요. 그보다 손을 줘 봐요."

나는 얼버무리며 고양이 연고를 들고 어머니에게 다가갔다. 어머니는 마지못해 손을 내밀었다. 상처를 치료하는 척하였지만, 실상은 고양이를 공격하지 못하게 하려는 것이다. 나는 고양이를 작은 방에 가두었다. 어머니는 그래도 분이 풀리지 않는지 큰 소리로 말했다.

"이놈의 고양이 어디 있어?"

나는 어머니를 달래려고 억지로 미소를 지으며 고양이처럼 아양을 떨었다.

"화 푸세요. 낯선 사람이라 놀라서 그랬을 거예요. 나쁜 애는 아니에요."

"애라니? 고양이가 어떻게 애니? 짐승이지."

"그렇게 말하면 안 돼요. 얘는 내 가족이에요."

"고양이가 이 엄마보다 더 중하단 거냐?"

"자꾸 이상한 얘기를 하시네요. 어머니보다 더 중한 게 어디 있어요?"

"그렇다면 당장 고양이를 치워버려라."

"안 돼요. 그러면 나는 외로워서 미치고 말 거예요."

"집에 들어오면 되잖아."

나는 길게 한숨을 내쉬었다. 고양이에 관한 얘기는 쳇바퀴처럼 돌고 또 돌았다. 고양이의 짧은 하루에 익숙해 있는 나는 도저히 지루함을 참지 못했다. 지치고 짜증이나 말을 끊고 단도직입으로 말했다.

"그런데 왜 오신 거예요?"

"얘 봐라! 엄마가 자식이 어떻게 살고 있나 보러왔는데 왜 왔냐고?"

"나는 괜찮아요. 걱정하지 마세요."

어머니는 일어나서 냉장고 문을 열었다. 콜라 몇 병하고 어머니가 몇 달 전에 갖다 준 김치 쪼가리가 다였다. 어머니는 빨래로 가득 차서 돌아가지도 않는 세탁기와 쓰레기통 주위에 굴러다니는 라면 봉지를 보고 말했다.

"어떻게 된 거냐? 밥은 먹고 지내는 거냐?"

"그럼요. 아주 잘 지내고 있어요."

"이게 잘 지내는 거야?"

"난 괜찮다니까요?"

"네가 혼자 있어야 공부가 된다고 해서 아파트를 얻어줬어. 먹고 사는 문제는 아르바이트를 하면 다 해결된다고 큰소리를 탕탕 쳤잖아!"

"그랬죠."

"그런데 지금, 이 꼴은 뭐냐?"

"뭐가 어때서요?"

"내가 일일이 말해야 하니?"

나는 고개를 숙였다. 사실 어머니의 도움이 절실히

필요한 처지다. 그러나 쉽게 말이 나오지 않았다. 취직해라, 결혼해라. 사실 너무 잔소리가 심해서 집을 나온 건데 지금 손을 벌리게 되면 또 잔소리가 시작될 것이다. 몸과 마음의 평화는 깨질 것이다. 그러나 당장 배가 고프다. 그것은 어떻게 해결할 것인가?

어머니는 청소하고 쌀과 이것저것 먹을 것을 주문했다. 반나절이 지나서야 집안은 반들반들해졌다. 고양이는 어머니를 두려워하며 이리저리 피해 다녔다. 눈치 빠른 녀석이다. 어느새 저녁 늦은 시간이 됐다. 어머니는 하룻밤 묵고 가겠다고 했다. 나는 차마 싫은 기색을 보일 수 없어 그러라고 했다. 안방을 어머니에게 내드리고 나는 고양이와 함께 작은 방으로 들어갔다. 나의 영역을 빼앗긴 듯해서 신경에 몹시 거슬렸다. 잠을 잘 시간이 되었으나 눈이 감기지 않았다. 아무래도 평소에 자던 곳이 아니어서 그런 것 같다. 고양이는 문 앞에서 나가겠다고 앵앵거렸다. 문을 열어주자 풀썩 뛰어나가 거실 한가운데 털썩 눕는다. 나도 따라가 고양이처럼 털썩 누웠다. 한결 마음이 편안하다.

시간이 얼마나 흘렀을까? 인기척이 나서 살짝 눈을 떠보았다. 컴컴한 어둠 속, 침묵이 공기처럼 거실을 가득 메우고 있었다. 그때 불현듯 거실 한 귀퉁이에서 검은 덩어리의 윤곽이 나타났다. 애당초 그곳에 있었던 것 같기도 했고 갑자기 툭 튀어나온 것 같기도 했다. 나는 몸을 돌돌 말고 꼼짝하지 않고 있었다. 무엇일까? 검은 덩어리는 소리 없이 천천히 다가왔다. 이윽고 거의 손길을 느낄 만큼 가까워진 순간에 나는 몸을 벌떡 일으켰다. "으악!" 검은 덩어리는 비명을 지르며 털썩 주저앉았다. 나는 재빨리 일어나 거실의 불을 켰다. 어머니였다. 어머니는 얼굴이 하얗게 질린 채 부들부들 떨다가 나를 보자 긴장이 풀리는지 펑펑 울기 시작했다.

"왜 그러세요?"

"너, 너 뭐 하고 있는 거냐?"

"잠을 자고 있었어요."

"그런데 왜 몸을 돌돌 말고 자는 거야? 고양이인 줄 알았잖아."

"나 참. 이렇게 큰 고양이가 어디 있어요?"

나는 고개를 돌려 고양이를 찾아보았다. 어머니의

고함에 놀라 어디에 숨었는지 보이지 않았다. 어머니는 분기가 가라앉지 않는지 빗자루를 들고 고양이를 찾아다녔다. 모든 창문을 다 열어놓고 눈이 빨개져 빗자루를 휘둘렀다. 나는 말렸으나 빗자루로 한 대 얻어맞았을 뿐이었다.

고양이는 식탁 밑에 숨어있었다. 어머니는 빗자루를 휘두르다가 고양이가 뛰쳐나오자 발로 걷어찼다. 책장이 넘어지고 책들이 와르르 쏟아졌다. 벽걸이 시계가 빗자루에 맞아 바닥으로 떨어졌다. 와장창 소리와 함께 유리 덮개가 깨지고 파편이 바닥에 흩어졌다.

어머니는 잠시 멈칫한 후 나의 얼굴을 한 번 보고는 다시 빗자루를 휘둘렀다. 독이 단단히 오른 모습이었다. 나는 어머니를 뒤에서 꼭 껴안았다. 그런데도 어머니는 몸부림치며 마구 빗자루를 휘둘렀다. 엄청난 힘이다. 오히려 내가 헉헉거릴 지경이었다. 고양이는 빗자루에 쫓겨 도망치다가 창문 밖으로 달아났다.

나는 급히 밖으로 나가서 고양이를 불러보았다. 그러나 아무런 대답이 없었다. 컴컴한 어둠만 있을 뿐 아무것도 보이지 않았다. 칼바람이 얼굴의 피부를 도려낼 듯 사납게 몰아쳤다. 하지만 나는 아랑곳하지 않고 멍하니 어둠 속을 바라보았다. 고양이를 잃어버렸다는 절망감이 해일처럼 밀려 들어왔다.

"석민아!"

어머니가 부르는 소리가 들렸다. 나는 몽유병에 걸린 사람처럼 목소리에 이끌려 집으로 돌아왔다. 어머니는 거실에서 여전히 식식거리고 있었다. 고양이가 다시 들어오기라도 할까 봐 어느새 창문을 모두 꼭꼭 닫고 있었다. 어머니는 물을 한 잔 들이켜고는 나에게 말했다.

"이리 와! 내 앞으로 와!"

크게 야단이라도 치려는 듯했다. 어머니는 야단을 칠 일이 있으면 항상 '내 앞으로 와.'라고 말했다. 하지만 언제나 아들의 상황이 어떤지 알아보지도 않고 자기 얘기만 했다. 지금도 마찬가지였다. 어머니가 그 말을 하는 순간 나는 온몸에 경기가 들며 이빨이 딱딱 맞부딪혔다. 손과 발이 부들부들 떨리고 눈앞이 새빨갛게 물들었다. 나는 어머니의 말을 귀 기울여 들을 만한 정신도 없거니와 오히려 고양이를 잃어버렸다는 생각에 비통에 잠겨 피를 토할 지경이었다. 그런데도 어머니는 말했다.

"왜 네가 취직을 못 하는지 알겠다. 저런 요물과 함께 있으니 무슨 일을 하겠냐?"

"내가 아직 살아있는 이유는 고양이가 있었기 때문이에요."

어머니의 얼굴에 당황하는 빛이 스쳐 지나갔다. 하지만 그녀는 서슴지 않고 말했다.

"얘가 무슨 소릴 하는 거야? 아무래도 제정신이 아닌 것 같다. 틀림없이 고양이가 너를 홀린 거야. 고양이는 인간의 숨을 빼앗는다는 말도 있잖아."

나는 이를 악문 채 말했다.

"어머니. 그만 가주실래요!"

"무슨 소리야. 나를 내쫓겠다는 거야?"

"어머니를 보고 있으면 미칠 것 같아요. 제발 부탁이에요."

"지금 새벽 세 시야. 어떻게 가란 말이냐?"

"모르겠어요. 그냥 어머니와 함께 있으려니 몸이 떨리고 정신이 이상해져요. 꼭 무슨 짓을 저지를 것 같아요."

나는 혀로 손등에 침을 묻힌 후 얼굴을 문질렀다. 고양이가 그루밍 하는 모습과 똑같았다. 이어 고양이처럼 몸을 납작 엎드린 채 고개를 들어 어머니를 올려 다보았다. 어머니는 움찔하며 표정이 딱딱하게 굳었다. 나의 기괴한 행동은 그녀의 마음에 서서히 공포감을 불러일으켰다. 어머니는 몸을 부르르 떨며 말했다.

"얘가 미쳤나? 표정이 왜 그래? 사람이 의욕이 없어 지면 본능만 남는다더니, 이건 짐승과 다름없잖아. 왜? 어머니를 어떻게 해보게?"

나는 동작을 바꾸며 어머니를 노려보았다. 엎드렸다 가, 두 발을 앞으로 모은 채 무릎을 꿇었다가, 누워서 고개를 들고 바라보기도 했다. 어머니는 겁에 질려 주 춤 뒤로 물러섰다. 나의 기괴한 동작이 계속되자 결국 그녀는 견디지 못하고 주섬주섬 옷을 챙겨 입었다.

"그래. 이 밤중에 나를 내쫓는단 말이지? 어디 잘 해봐라. 너 혼자서 무엇을 할 수 있는지. 고양이 때문 에 어미를 내쫓는다는 것이 말이 돼?"

어머니가 떠난 후 날이 밝자 나는 아파트 주변을 헤 매기 시작했다. 고양이의 이름을 부르며 고양이가 있 음 직한 곳을 찾아다녔다. 가끔 고양이가 보여서 쫓아 갔지만 길고양이였다. 내 고양이가 아니었다. 출근하는 사람들은 내 모습을 힐끗힐끗 쳐다보며 지나갔다. 조금 시간이 흐르자 이번에는 아줌마들이 드문드문 지나갔다. 궁금했는지 "뭐 하시는 거예요?"라고 묻기도 했다. 나는 대답 없이 고개를 꾸벅하고 지나갔다. 아마 그들이 보기에 고양이처럼 몸을 움츠리고 살금살금 걷고 있는 나의 행위가 이질적으로 보였을 것이다.

며칠이 지난 걸까? 시간이 흐르는 것도 느끼지 못했다. 그런데 어느 날 문밖에서 고양이 울음소리가 들렸다. 시간은 유령이 나온다는 새벽 세 시였다. 망상인 줄 알고 눈을 감았으나 소리는 점점 또렷해지며 귓전을 두드렸다. 나는 눈을 번쩍 뜨고 허겁지겁 문을 열었다. 고양이가 나의 얼굴을 보며 울고 있었다. 나는 고양이를 끌어안고 눈물을 흘렸다. 고양이는 공기처럼 가벼웠다. 아무 무게도 느낄 수 없었다. 오싹 소름이 돋아 눈을 크게 뜬 순간 고양이는 물거품처럼 사라졌다. 나의 손은 컴컴한 어둠을 더듬고 있을 뿐이었다.